COMPILATION
PASSEPEUR
TRIO TERREUR N° 2

Texte et illustrations de Richard Petit

Dépôt légal : Bibliothèque et Archives nationales du Québec, 1ᵉʳ trimestre 2008
ISBN : 978-2-89595-356-2
Imprimé au Canada

Gouvernement du Québec - Programme de crédit d'impôt pour l'édition de livres - Gestion SODEC

Boomerang éditeur jeunesse remercie la SODEC pour l'aide accordée à son programme éditorial.

Nous reconnaissons l'aide financière du gouvernement du Canada par l'entremise du Programme d'aide au développement de l'industrie de l'édition (PADIÉ) pour nos activités d'édition.

edition@boomerangjeunesse.com
www.boomerangjeunesse.com

VOTRE PASSEPEUR

POUR UN HORRIBLE CAUCHEMAR

UN LIVRE QUI SE JOUE AVEC LES PAGES DU DESTIN

No 15 NAUFRAGÉS SUR CRÂNÎLE

NAUFRAGÉS SUR CRÂNÎLE

**Texte et illustrations
de
Richard Petit**

TOI!

Tu fais maintenant partie de la bande des
TÉMÉRAIRES DE L'HORREUR.

OUI ! Et c'est toi qui as le rôle principal dans ce livre où tu auras bien plus à faire que de tout simplement... LIRE. En effet, tu devras déterminer toi-même le dénouement de l'histoire en choisissant les numéros des chapitres suggérés afin, peut-être, d'éviter de basculer dans des pièges terribles ou de rencontrer des monstres horrifiants.

Aussi, au cours de ton aventure, lorsque tu feras face à certains dangers, tu auras à jouer au jeu des **PAGES DU DESTIN...** Par exemple, si dans ton aventure tu es poursuivi par une espèce de monstre dangereux et qu'il t'est demandé de TOURNER LES PAGES DU DESTIN afin de savoir si ce monstre va t'attraper, la première chose que tu dois tout de suite faire, c'est placer ton doigt tout tremblotant ou un signet à la page où tu es rendu pour ne pas perdre ta page, car tu auras à y revenir. Ensuite, SANS REGARDER, tu fais glisser ton pouce sur le côté de ton Passepeur en faisant tourner les feuilles rapidement pour finalement t'arrêter AU HASARD sur l'une d'elles.

Maintenant, regarde au bas de la page de droite. Il y a trois pictogrammes. Pour savoir si le monstre t'a attrapé, il n'y en a que deux qui te concernent,

celui de l'espadrille et celui de la main.

Pour le moment, tu ne t'occupes pas des autres. Ils te serviront dans d'autres situations. Je t'explique tout un peu plus loin.

Comme tu as peut-être remarqué, sur une page il y a une espadrille, et sur la suivante, il y a une main et ainsi de suite, jusqu'à la fin du livre. Si, par chance, en tournant les pages du destin, tu t'arrêtes au hasard sur le pictogramme de l'espadrille, eh bien bravo ! tu as réussi à t'enfuir. Là, retourne au chapitre où tu étais rendu. Il t'indiquera le numéro de l'autre chapitre où tu dois aller pour fuir le monstre. Si tu es le moindrement malchanceux et que tu t'arrêtes sur le pictogramme de la main, eh bien, le monstre t'a attrapé. Là encore, tu reviens au chapitre où tu étais, mais tu auras par contre à te rendre au chapitre indiqué où tu tomberas entre les griffes du monstre.

Lorsqu'on te demandera de TOURNER LES PAGES DU DESTIN, tu n'utiliseras, selon le cas, que les DEUX pictogrammes qui concernent l'événement. Voici les autres pictogrammes et leur signification...

Pour déterminer si une porte est verrouillée ou non :

 si tu tombes sur ce pictogramme-ci, cela signifie qu'elle est verrouillée ;

 si tu t'arrêtes sur celui-ci, cela signifie qu'elle est déverrouillée.

S'il y a un monstre qui regarde dans ta direction :

 ce pictogramme veut dire qu'il t'a vu ;

 celui-ci veut dire qu'il ne t'a pas vu.

Qu'allez-vous faire, naufragés sur cette île maudite sans votre trousse des Téméraires ? Il vous faut trouver quelque chose pour vous défendre, sinon vous n'aurez pas la moindre chance de vous en sortir… VIVANTS ! Alors, comme vous êtes débrouillards et bricoleurs, vous ramassez quelques bouts de branches, une liane, et vous vous fabriquez un arc et des flèches. C'est parfait, mais cependant, pour atteindre la cible avec cet arc, tu auras à faire preuve d'une grande adresse au jeu des pages du destin. Comment ? C'est simple : regarde dans le bas des pages de gauche. Il y a un crâne à cornes, ton arc et une flèche.

Plus tu t'approches du centre du livre, plus la flèche se rapproche du crâne. Lorsque dans ton aventure, tu fais face à un monstre et qu'il t'est demandé d'essayer de l'atteindre avec ton arc pour l'éliminer, il te suffit de tourner rapidement les pages de ton Passepeur. En ne regardant que le haut du livre, tu dois essayer de t'arrêter sur une des pages centrales. Si tu réussis à t'arrêter sur une des cinq pages du milieu du livre portant cette image,

eh bien, bravo ! Tu as visé juste et tu as réussi à atteindre de plein fouet le monstre qui vous faisait face dans ce chapitre. Tu n'as plus qu'à suivre les instructions au chapitre où tu étais, que tu aies réussi ou non à atteindre ton objectif.

Ta terrifiante aventure débute au chapitre 1. Et n'oublie pas : une seule fin te permet, à toi et tes amis, de ne pas rester pour toujours... *Naufragés sur Crânîle.*

1

« TOUS LES PASSAGERS SONT PRIÉS DE REVÊTIR LEUR VESTE DE SAUVETAGE ET DE SE RENDRE SUR LE PONT ! vous réveille brusquement le haut-parleur de votre cabine. JE RÉPÈTE… »

Tu lèves la tête…

« Quoi ? Qu'est-ce qui se passe ? demandes-tu, un peu perdu.

— Je n'en sais rien, te répond Jean-Christophe, lui aussi tout somnolent, sur la couchette d'en haut. Ne nous emballons pas ! C'est peut-être juste un exercice. »

Vous sautez de vos couchettes et réveillez vite Marjorie, qui dort toujours. C'est incroyable ! Elle n'a rien entendu.

« Marjorie ! Marjorie ! lui dis-tu en la secouant. Réveille-toi !

— Que… quoi ? fait-elle brusquement, les yeux tout brillants. Nous sommes arrivés ? À nous la plage, les coquillages… »

Elle arrête vite de jubiler lorsqu'elle constate que, derrière votre porte, des gens crient et courent dans la coursive. De grandes vagues viennent soudain frapper votre hublot et vous confirment, d'une façon terrifiante, que… LE NAVIRE COULE !

La croisière ne s'amuse plus ! Allez au chapitre 46.

2

Ta flèche atteint le crocodile, mais ricoche sur son dos recouvert d'écailles. Effrayé, il disparaît sous l'eau, dans un grand remous. Vous l'avez échappé belle.

Sur ton front perlent des gouttes de sueur. Tu t'essuies avec la manche de ton t-shirt ; il fait si chaud. Plus chaud qu'en Floride même.

Ah ! La Floride, te mets-tu à penser. La plage, les parcs d'attractions thématiques. Quelles vacances ! À comparer, tu aimes autant la Floride que tu détestes Crânîle, parce que là-bas, contrairement à ici, les monstres et les bêtes des manèges ne risquent pas de te sauter dessus et te manger tout rond.

Tu suis Marjorie et Jean-Christophe qui arrivent au pied du grand rocher à la forme de crâne, niché tout à fait à l'extrémité de la jungle. Ton cœur se serre lorsque tu lèves la tête vers le sommet. À première vue, vous avez au moins une centaine de mètres à gravir. Pas le temps de faire des niaiseries. Si vous voulez l'atteindre avant le coucher du soleil, il faut que vous y alliez tout de suite.

Tu poses le pied dans une fissure et tu entames son ascension. Le vent se fait de plus en plus cinglant et rend votre progression difficile.

Vous parvenez quand même à atteindre le sommet du rocher au chapitre 55.

3

C'est en nageant comme des athlètes aux Jeux olympiques que vous parvenez à atteindre, sains et saufs, le navire. Là, vous contournez rapidement la coque et gravissez le grand mât couché à tribord, pour enfin vous hisser jusqu'au gaillard d'avant. Debout, sur le pont de bois pourri qui peut céder à tout instant, vous reprenez votre souffle en faisant l'inventaire de vos membres. Deux bras et autant de jambes… TOUT Y EST !

Affaissé sur la barre du gouvernail, il y a le squelette au bandeau noir d'un pirate borgne. Il donne un aspect encore plus morbide au décor. Sa main osseuse est refermée sur quelque chose de brillant. Tu t'en approches et oses lui extirper l'objet d'entre les doigts… C'EST UN DOUBLON D'OR !

Avec cette seule pièce, tu peux te payer la *boum box* de tes rêves. Double cassette, lecteur de DC et syntonisation numérique, le haut de gamme, quoi… L'index de l'autre main du pirate semble pointer vers la cale du navire. Ce squelette est-il le X manquant de votre carte indiquant l'endroit précis où se trouve le trésor ou pointe-t-il dans cette direction pour vous prévenir d'un grand danger ? Il n'y a qu'une seule façon de le savoir…

Descendez à l'entrepont au chapitre 94.

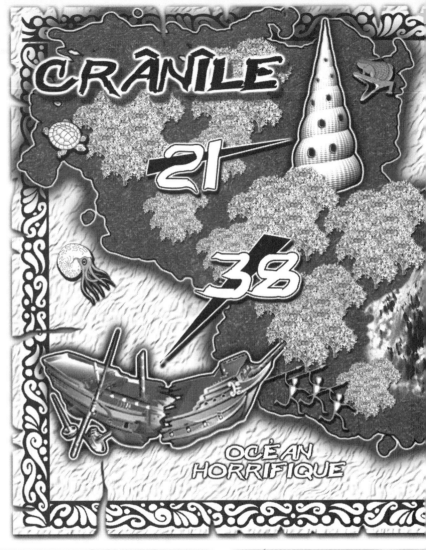

CRÂNÎLE

21

38

OCÉAN
HORRIFIQUE

4 *Regarde bien cette carte et rends-toi au chapitre inscrit sur la partie de l'île que vous voulez explorer…*

11

5

14

5

Vous traversez une brousse dense d'arbres gigantesques. Des lianes pendent et traversent d'un arbre à l'autre. Un caméléon, de la couleur d'une slush vert limette, rampe sur une branche. C'est toute une différence avec les écureuils de Sombreville. Une multitude d'ossements de petits mammifères éparpillés entre les arbres vous rappellent que cet endroit, aussi féerique qu'il puisse paraître, peut cacher de grands dangers.

Mieux vaut être préparés. Avec un long bout de bambou flexible et une petite liane, tu confectionnes un arc. Jean-Christophe, lui, casse quelques petites branches et frotte le bout sur un rocher pour les affiler. Voilà d'excellentes flèches. Vous avez à peine terminé de bricoler votre arme que surgit devant vous, grognant et gesticulant, votre premier trophée de chasse… UN GORILLE À TÊTE DE MOUCHE !

NON ! Ce n'est pas le moment de vous poser des questions sur cette horreur. Tu le mets tout de suite en joue avec ton arc. Vas-tu réussir à l'atteindre ? Pour le savoir…

… TOURNE LES PAGES DU DESTIN.

Si ta flèche l'atteint de plein fouet, va au chapitre 39.
Si, par contre, tu l'as raté, rends-toi au chapitre 59.

6

Ta flèche perce la surface de l'eau et va se planter au fond du lac. Dans les fêtes foraines, il y a des jeux où, lorsque tu atteins un objectif, tu remportes un gros toutou en peluche. Ici, sur Crânîle, c'est le contraire. Tu rates ta cible… TU HÉRITES D'UN CROCODILE !

Le gros reptile fonce vers toi en faisant claquer ses mâchoires proéminentes garnies d'incisives.

CLAC ! CLAC !

Tu tournes les talons et tu fonces vers un arbre, car tu sais que ces dangereux reptiles ne peuvent pas grimper. Pour une fois, la chance est avec vous, car une échelle est clouée au tronc. Vous escamotez l'échelle jusqu'à une cabane abandonnée, juchée en haut du grand bananier.

En bas, le crocodile marche sur ses propres traces. Il va attendre longtemps, car vous avez de quoi vous nourrir. Des dizaines de bananes sont suspendues en dessous des grandes feuilles.

« OUAIS ! Mais, elles sont roses ces bananes, te fait remarquer Marjorie. J'crois pas que l'on devrait y toucher. »

Tu en pèles une au chapitre 75 et tu découvres à l'intérieur…

7

Vous avez beau essayer de la forcer, mais il n'y a rien à faire. Vous rebroussez chemin et regagnez la surface par la souche de l'arbre abattu. La tempête se calme et vous permet de regagner enfin le haut du rocher en forme de tête de mort. De la fumée s'échappe des deux grands trous qui forment les yeux du crâne. Au moment où vous vous penchez pour regarder, une flopée de chauves-souris monstrueuses sort de l'obscurité et s'envole, d'une façon désordonnée, loin de l'île.

Des chauves-souris qui sortent en plein jour ? Tout ça ne présage rien de bon. Il ne faut pas rester ici ! Pendant que vous descendez le flanc du rocher, une violente explosion secoue la croûte terrestre **BRAOOUUUM !** et du magma jaillit des deux orbites du crâne. C'est une double éruption volcanique !

Vous vous accrochez, tant bien que mal, aux pierres qui deviennent instables. La lave coule jusqu'au pied du rocher et devient une rivière tumultueuse qui semble vous poursuivre sur toute l'île. Vous essayez de lui échapper, mais elle réussit à vous encercler. Autour de vous, ça commence à chauffer, car le cercle de lave rétrécit, rétrécit, et **PSSSSSHHHHHH !**

FIN

8

Vous courez comme des malades en direction de la jungle. Devant vous vient s'écraser un satellite radar. **BRAOUM!** La puissance magnétique de la météorite a décuplé et attire même les objets de métal de l'espace.

Vous essayez de contourner les débris fumants qui vous bloquent le chemin. Des broussailles s'enflamment, et le feu se propage aux palmiers. Un autre satellite s'écrase sur le sable et effraie les fantômes qui, apeurés, regagnent leur sous-marin. De l'océan surgissent des dizaines d'épaves de navires coulés. Leurs silhouettes lugubres recouvertes d'algues et de coraux avancent inexorablement vers la météorite, qui rougeoie comme si elle était chauffée à vif.

Le feu gagne la jungle. Sur la plage, c'est une pluie d'objets de métal de toutes sortes qui tombe. Il faudrait un miracle pour faire cesser ce cataclysme.

Voilà que la mer s'agite. Des gros nuages noirs font leur apparition. Le tonnerre gronde, et une pluie torrentielle se met à tomber. L'eau réussit à s'infiltrer jusqu'à la météorite qui, cachée sous des tonnes de pièces de métal, perd lentement sa force magnétique.

Le soleil se pointe entre les nuages et vous guide vers le chapitre 4.

9

L'un après l'autre, vous franchissez timidement la porte d'eau. De l'autre côté, vous vous retrouvez en plein océan. Un banc de petits poissons fuit de tous les côtés ; vous les avez effrayés. Au-dessus de votre tête, un requin sillonne la surface ; pas question de sortir de l'eau par là. C'est vous qui avez peur maintenant ! Éloignez-vous au plus vite…

Vous nagez, en contournant de grands récifs. Entre les longues algues vertes, des barracudas, qui attendaient que passe une proie, viennent de vous apercevoir. Ils donnent des grands coups de nageoires, et se lancent à votre poursuite. Vous filez vite vers une grotte sous-marine. En nageant à l'intérieur, vous découvrez une galerie remplie d'air. Vous sortez rapidement de l'eau. Les mâchoires dentées des barracudas claquent dans le vide à la surface. Ouf ! Vous l'avez échappé belle !

Le dos courbé, vous marchez pendant de longues minutes. La galerie prend soudain une pente qui va en montant vers la surface.

Tu sors la tête. Autour de toi… DE LA NEIGE TOMBE…

… au chapitre 82.

10

Sur une grosse poutre du navire, un sabre de pirate est planté dans un vieux papier écrit à la plume rouge. Tu t'approches pour lire :

« LA MORT S'EN VIENT ! »

Tu lèves les épaules, pas du tout impressionné, car toi, tu n'es pas du genre à croire à ces histoires d'horoscope ou de prédictions de l'avenir. C'est comme les petits biscuits que l'on vous sert au resto chinois : ce qui est écrit sur le petit papier, ça ne se produit jamais.

Au moment où tu te diriges vers un escalier, tu sens quelque chose qui te pique entre les deux omoplates. Lentement, tu te retournes et découvres que le sabre flotte en l'air et pointe directement ton cœur. Est-ce un fantôme de pirate qui le tient ?

Tu fais un bond en arrière, le sabre avance. Jean-Christophe fait de grands signes avec ses bras pour attirer le sabre vers lui, mais c'est après toi qu'il en a. Le sabre fonce ! Tu plonges, juste à la dernière fraction de seconde. Le sabre va se planter dans un baril, CHRAAAC ! Du rhum se répand vite partout sur le plancher et rend les vieilles planches très glissantes.

Vous patinez jusqu'à l'escalier, au chapitre 105.

11

Cette jungle, où grouillent en masse fauves affamés et serpents venimeux, est très dangereuse. Alors, avec un long bout de bambou flexible, une petite liane et quelques branches, vous confectionnez un arc et des flèches que vous prenez soin de bien aiguiser sur une roche.

En jetant des regards inquiets tout autour, vous vous enfoncez entre les palmiers et les arbres géants aux racines tortueuses. Des cris enchanteurs d'oiseaux exotiques te parviennent de tous les côtés, si bien que tu te croirais dans une salle de cinéma. Vous continuez à avancer, toujours sur le qui-vive.

Plus loin, vous devez contourner un petit lac noir. Il est transpercé par la végétation et par… DES YEUX DE CROCODILE !

Pour ne pas te faire remarquer, tu restes immobile. Mais c'est peine perdue. Le croco t'a vu et il avance vers toi… Tu charges ton arc et tu pointes dans sa direction. Vas-tu réussir à l'atteindre ? Pour le savoir…

*… **TOURNE LES PAGES DU DESTIN** et vise bien.*

Si tu réussis à l'atteindre, rends-toi au chapitre 2.
Par contre, si tu l'as raté, va au chapitre 6.

12

Il fonce tout galopant vers un autre palmier et plante sa longue défense dans le tronc. Le grand arbre craque en deux et tombe par terre, **BROUUUM !** soulevant des nuages de poussière. L'énorme bête pousse un grognement terrible qui te glace le sang.

« Ce rhinocéros a l'air pas mal en colère, dit Jean-Christophe. Vaudrait mieux l'éviter. »

Tu attrapes Marjorie par le collet, et vous rebroussez chemin en zigzaguant entre les arbres, en vous cachant derrière chacun d'eux quelques secondes. Derrière vous, le rhinocéros cherche un autre palmier. Vous courez à toutes jambes en ligne droite, pour filer au plus vite. Le furieux rhinocéros s'arrête subitement et regarde de tous les côtés. Va-t-il vous apercevoir ? Pour le savoir…

*… **TOURNE LES PAGES DU DESTIN.***

S'il vous a vus, allez tout droit au chapitre 63.

Si, au contraire, il ne vous a pas aperçus, fuyez au chapitre 80.

13

Si le trésor que vous cherchez se trouve ici, il ne peut être caché qu'au sous-sol, si toutefois ce temple en possède un...

Vous scrutez méticuleusement les dalles de marbre qui forment le plancher. Leurs contours sinueux te rappellent beaucoup les pièces d'un casse-tête. Vous faites le tour très vite, et remarquez qu'il manque une dalle, celle qui est juste devant le drôle de petit bâtiment de pierre, érigé au milieu du temple, et qui ne possède pas... DE PORTE !

Allez au chapitre 20.

14

Vous contournez, tant bien que mal, le grand rocher où viennent se briser les grandes vagues bleues de l'océan. Des éboulis de gros cailloux tombent continuellement du flanc. Le coin est pas mal risqué !

Un peu plus loin, il y a la jungle. Elle paraît tout aussi dangereuse. C'est peut-être parfait pour quelqu'un qui a comme activité préférée le bousillage de monstres, sauf que là, à cause du naufrage, vous vous retrouvez avec absolument rien pour vous défendre.

Alors, avec un long bout de bambou flexible et une petite liane, tu confectionnes un arc. Jean-Christophe, lui, casse quelques branches et frotte le bout sur un rocher pour les affiler. Voilà d'excellentes flèches. Vous êtes maintenant armés…

OUPS ! Devant vous, une dizaine de hyènes finissent de bouffer la carcasse d'une antilope. Vous n'avez pas assez de flèches pour les exterminer toutes. Vous essayez donc de les contourner. Est-ce que ces carnassiers toujours affamés vont remarquer votre présence ? Pour le savoir…

… TOURNE LES PAGES DU DESTIN.

S'ils vous ont vus, allez tout droit au chapitre 86.
S'ils ne vous ont pas vus, allez au chapitre 31.

15

« Oh non ! » hoquettes-tu, la tête hors de l'eau.

Tu te contorsionnes pour essayer d'éviter ses tentacules, mais c'est inutile. La créature transparente vous attrape tous les trois et vous entraîne jusqu'à l'entrée de sa grotte sous-marine.

À l'intérieur, il y a de l'air ! Vous vous levez, mais **TOC !** ta tête frappe le plafond. « AÏE ! » Vous restez quelques secondes immobiles, attendant la suite.

« La créature ne semble plus être dans les parages, dit Jean-Christophe, en regardant dans l'eau.

— Comment peux-tu en être certain ? lui demande Marjorie. Une créature faite d'eau dans l'eau, ça ne se voit pas… »

À demi accroupis, vous avancez profondément dans la grotte. Un mur de vieilles planches pourries vous barre la route. Vous l'enfoncez facilement pour découvrir, de l'autre côté… LA CALE DU NAVIRE ÉCHOUÉ !

Des barils de poudre et de rhum, des sacs remplis de victuailles toutes moisies, mais pas de trésor en vue…

Montez à bord au chapitre 10.

16

Au fond du hall, entre deux colonnes construites avec des vertèbres de baleine, il y a trois portes d'eau agitée, qui, étrangement, se tiennent à la verticale. Vous décidez de plonger dans l'une d'elles.

Prenez une très grande inspiration et rendez-vous au chapitre inscrit au-dessus de la porte que vous aurez choisie...

« CMJD, Sombreville ! » répond-elle à Grogro, avec un trémolo dans la voix.

Autour de vous, cachés derrière le décor, des caméramans surgissent ici et là. Les grandes portes s'ouvrent, et une équipe entière de production cinématographique entre dans l'arène, sous les applaudissements des enfants acteurs, costumés en Pygmées.

« Nous avions des caméras cachées dans toute l'île, vous dit le producteur affublé d'un chapeau de paille. Nous avons suivi votre progression depuis le début de l'histoire. Vous avez été sensationnels. Bravo aux premiers gagnants du concours "Vivez l'aventure avec CMJD ! " »

— QUOI ! fais-tu, complètement ahuri. Rien de tout cela n'était vrai ?

— Rien n'est réel ! t'explique le producteur. Le paquebot qui coule ? Des effets spéciaux, mes amis. Les animaux mutants de l'île sont tous *animatroniques*. Même Grogro n'est qu'un robot contrôlé par un marionnettiste de l'électronique qui, au lieu de tirer des ficelles, fait bouger Grogro avec un système de téléguidage électronique très sophistiqué.

Abasourdis, vous vous rendez au chapitre 108.

18

La porte s'ouvre, et vous découvrez derrière elle… UN COFFRE ! Serait-il possible que vous ayez déjà trouvé le trésor ? Peut-être bien, car comme les légendes anciennes racontent, les gnomes sont souvent gardiens de richesses. Tu t'approches lentement, et lorsque tu veux mettre la main sur le coffre, il glisse sur le côté. Tu essaies à nouveau, et le coffre roule sur lui-même et s'éloigne de toi, comme par enchantement. Dans toute la grotte, tu cours après lui sous les échos des ricanements qui proviennent de partout autour de vous.

Il y a quelqu'un qui veut définitivement jouer au plus fin avec toi. Mais il ne sait pas que personne ne se moque des Téméraires.

En sifflant, tu fais semblant de rien et tu te mets à tourner autour du coffre, qui demeure immobile. Et ensuite, avec une foudroyante rapidité, tu fais semblant de plonger vers la gauche, mais tu fais plutôt un pas vers la droite. Le coffre glisse… ET TE TOMBE ENTRE LES MAINS ! Les rires moqueurs se transforment en pleurs, mais ça ne te touche pas le moins du monde. Vous ouvrez le coffre et découvrez qu'il n'y a pas un rond à l'intérieur, mais une note qui dit : « Trouvez le rocher, trouvez le trésor ! »

Fiers de ce renseignement, vous retournez tous les trois au chapitre 4 pour choisir une autre voie.

« IUQ SETÊ SUOV ? » vous dit-il sur un ton assez raide.

Vous vous regardez tous les trois. Ce que vous dit cet empereur des profondeurs est incompréhensible… PARCE QUE VOUS N'ÊTES PAS AU FOND DE L'EAU !

SOUDAIN, TU AS UNE IDÉE !

Tu t'approches d'une grande huître ouverte, remplie d'eau. Deux de ses gardes t'arrêtent sous la menace de leurs lances garnies aux extrémités d'épines d'oursins longues et pointues. Tu montres l'eau à l'empereur et tu fais bouger tes doigts et ton pouce pour imiter une bouche qui parle. Il comprend vite que c'est la seule façon que vous avez de communiquer avec lui. Il frappe avec autorité sur le plancher avec son sceptre. Ses deux gardes retirent leurs lances de sous ta gorge.

Tu plonges tout de suite la tête sous l'eau… Que vas-tu dire à l'empereur ?

« SUON SEMMOS SUNEV NE SIMA ! » Dans ce cas, va au chapitre 77.

Tu veux plutôt lui dire : « IA'J ENU EIVNE ELLOF ED NOSSIOP ! » Rends-toi alors au chapitre 45.

20

Pour pénétrer dans cette petite construction, il faut insérer la dalle manquante dans la cavité. Ce dernier morceau de casse-tête actionnera un mécanisme qui ouvrira la porte cachée. Vous cherchez dans tout le temple et trouvez deux dalles sur un tas de débris.

Observez bien les contours des deux dalles. Puis, rendez-vous au chapitre inscrit près de la dalle que vous croyez qui s'insérera parfaitement dans la cavité devant le petit bâtiment.

21

Vous contournez le rocher pour vous engager vers le nord, comme la carte l'indique. C'est à cet endroit que la tour, en forme de coquillage, pointe vers le ciel. La jungle est si dense que vous voyez à peine trois mètres devant vous. Vous êtes sur les nerfs, car lorsque ce ne sont pas des lianes qui pendent des arbres géants, ce sont des serpents. Les feuilles de certains arbres sont aussi grandes que des draps.

« Je plains celui qui doit ramasser ces feuilles à l'automne, dit Marjorie en levant les yeux vers la cime des arbres.

— IDIOTE ! lui dit son frère. Ici, les feuilles ne tombent pas à l'automne.

— Tant mieux pour les indigènes dans ce cas », fait-elle, en poursuivant sa route.

Tu regardes Jean-Christophe avec un sourire en coin. On ne s'ennuie jamais avec Marjorie et ses commentaires *bizarro-loufoques*. Toujours le mot pour faire rire. Même dans les pires situations.

Plus loin, vous devez vous arrêter, car devant vous, un rhinocéros vient d'abattre un arbre, **CRAAAAC !**

Cachez-vous vite au chapitre 12.

22

Vous poussez la lourde porte qui s'ouvre en grinçant lugubrement.

CRRRRIIIIII !

« PARFAIT ! vous dit Jean-Christophe, qui entend le bruit des vagues à l'autre bout de la galerie. Aidez-moi ! Nous allons faire rouler la météorite jusqu'à la mer. Une fois dans l'eau, elle va perdre toute sa force magnétique, et nous allons pouvoir ramasser les pièces et les bijoux aussi facilement que des coquillages sur le bord de la mer. »

Le dos appuyé à la météorite, vous poussez de toutes vos forces. Le gros caillou rond roule quelques mètres, lentement, et prend soudain de la vitesse. Dans la galerie, il roule comme une boule de quilles, et va si vite que vous le perdez de vue. Vous arrivez finalement sur la plage. Le soleil est aveuglant. Où est cette foutue météorite ? Est-elle enfoncée dans la mer ? Vous suivez sa trace dans le sable. Ouf ! La voilà. Elle est coincée dans un récif.

Au moment où vous vous en approchez, un terrifiant grondement survient. Ça semble venir des profondeurs de la mer. C'est peut-être un monstre marin ou quelque chose du genre. Vous ne pouvez pas faire autre chose que reculer, lorsque soudain, apparaît à la surface de l'eau… LE NEZ D'UN SOUS-MARIN !

Allez au chapitre 104.

23

Vous parvenez à atteindre l'escalier. En bas, des grattements inquiétants se font entendre. Ne songeant qu'au trésor, vous descendez toujours, sans évaluer la situation.

QUELLE ERREUR ! Un gros crabe arrive vers vous. Vous essayez de remonter, mais tout l'escalier s'écroule. **BRAAAM !** Tu te relèves et attrapes une planche pour te défendre. Marjorie danse sur un pied, car le crabe s'est accroché à son espadrille.

« Ne te fais pas de sushis, OUPS ! de soucis, te reprends-tu. Je vais t'en débarrasser. »

Tu frappes le crustacé. **CLAC !** et tu l'envoies faire un vol plané au fond de la cale. Le danger écarté, vous fouillez la cale. QUEL BAZAR ! Les barils de rhum et la marchandise qui s'y trouvent ont connu des jours meilleurs : ils dégagent une odeur épouvantable. Des tas de mouches survolent ces aliments infects et s'en régalent. Tu évites de toucher quoi que ce soit, de peur d'être affligé par la maladie du corsaire, qui fait jaillir des pustules vertes sur tout le corps.

Avec précaution, vous poursuivez l'exploration de la cale au chapitre 48.

24

De la plus grande hutte de paille, ornée de diverses têtes d'animaux réduits, apparaît un Pygmée grassouillet avec un os planté dans le nez. Il est tout aussi petit que les autres, mais sur la tête, il porte une espèce de couronne d'or et de plumes. C'est sans doute le grand chef sorcier. Il s'approche de vous et, d'un air très menaçant, vous dit :

« GROGRO !

— Non ! Ça ne va pas recommencer ! » fait alors Marjorie en levant les yeux au ciel.

Toi aussi, tu en as assez. Tu regardes le petit bonhomme et tu lui réponds : « Grogro », en lui faisant un signe d'approbation de la tête.

Autour de vous, les autres Pygmées hurlent et se réjouissent :

« HASTA LA VISTA… GROGRO ! »

Tu as déjà entendu cette phrase dans un film, mais tu ne sais pas trop ce qu'elle signifie pour ces Pygmées.

Des femmes pygmées sortent des huttes en dansant, avec tout un attirail. Elles vous entourent et, en quelques minutes, elles vous ont dépouillés de vos vêtements et mis des jupes de feuillages. Le visage peint, vous êtes prêts pour le… COMBAT !

Mais contre qui allez-vous bien vous battre ? Allez au chapitre 32.

25

MALHEUR ! La porte est verrouillée. Vous essayez de l'enfoncer, mais rien à faire. Vous entendez, derrière vous, les lions qui reviennent. Il y a une clé cachée entre les sculptures de la grande dalle de marbre,  juste au pied de la porte… CHERCHEZ-LA !

Si vous réussissez à la trouver, entrez dans la tour au chapitre 89.

Si elle demeure introuvable, TOURNEZ-VOUS, car les lions arrivent au chapitre 76.

26

Vous avancez maintenant entre les hautes mâchoires de pierre du rocher craquelé qui s'élèvent, chaque côté de vous, très haut dans le ciel. Est-ce l'érosion des glaciers, retirés il y a de cela des milliers d'années, qui a sculpté cette grosse tête de mort, ou est-ce l'œuvre des indigènes cannibales qui habitent toujours l'île ?

Un petit serpent venimeux s'enroule à la branche d'un arbre. Les racines de l'arbre s'enfoncent dans les longues fissures du rocher. Une partie pourrait s'écrouler à tout moment. Vous contournez tout ça avec d'infimes précautions. Vous progressez entre les versants du rocher jusqu'à l'entrée d'une grotte cachée par des branchages. Par terre, il n'y a aucune piste de bête, ce n'est donc pas une tanière d'animal.

À l'intérieur de la grotte, vous découvrez des lances, une peau de tigre et des pièces de vaisselle poussiéreuses. Les souvenirs d'un navigateur perdu, comme vous. Cette grotte fera un abri très convenable si jamais votre séjour devait s'éterniser. Vous le notez sur la carte.

Sur la paroi de la grotte, l'ancien proprio, habile dessinateur, a gravé dans la roche… D'ÉTRANGES SIGNES !

Allez au chapitre 36.

27

« OÙ EST MON CORPS ? demande la tête, les dents serrées. Par la barbe de ma grand-mère, est-ce vous, moussaillons, qui me l'avez piqué ?

— PI-PIQUER ? QUOI ? VO-VOTRE CORPS ? bafouilles-tu. Mais M'sieur pirate, nous n'avons rien touché, j'vous jure. »

Le pirate, incrédule, grogne. Vous reculez, et une main très froide se pose sur ton épaule. C'est le corps sans tête du pirate. Tu pensais avoir eu la peur de ta vie en voyant l'horrible tête du pirate, eh bien, c'est parce que tu n'avais pas encore vu son corps rongé par les vers et les asticots.

Sur le pont jonché de caisses et de débris de toutes sortes, vous jouez à colin-maillard avec le corps sans tête qui vous poursuit, sabre à la main, sous les instructions que lui crie sa tête suspendue au mât. Tu trouverais cette scène très drôle si ta vie n'était pas en jeu. Le corps sans tête coupe des cordages avec son sabre, CHLAC ! et un mât s'abat et vous barre la route, BLAM ! Vous vous penchez tous les trois pour évaluer la hauteur entre vous et la mer. C'est très haut, mais c'est tout de même mieux que de finir tranchés en deux.

Plongez tous les trois à l'eau et nagez ensuite jusqu'au chapitre 4.

28

L'air autour de vous se met soudain à tourbillonner, et les yeux de la jeune fille s'ouvrent…

Vous reculez d'un pas. D'un seul trait, elle bondit de sa tombe. Sa peau rosée se métamorphose, et des flammes bleues dansent sur tout son corps qui se couvre d'écailles. Elle jette un regard fulgurant en brandissant ses bras en l'air, comme pour s'étirer et sortir d'un très long sommeil. Ce monstre, issu des profondeurs, réclame du sang, des litres de sang !

Du regard, vous cherchez une sortie. Les deux statues qui se trouvaient à l'entrée se sont déplacées et bloquent maintenant toutes les issues. Vous vous tournez vers le monstre. Hypnotisés par ses yeux jaunes, vous sentez peu à peu votre désir de quitter les lieux en vitesse, de disparaître…

FIN

Les deux statues bizarres pointent leur trident dans votre direction !

N'écoutant que votre courage, vous faites un pas vers le temple. La statue prononce un mot :

« GRSUURE ! »

Plus surpris qu'apeurés, vous en faites un autre. La statue prononce le même incompréhensible mot, mais en hurlant cette fois-ci :

« GRSUURE ! »

Il semble que la voix est reliée à un mécanisme quelconque de détection des intrus. Vous faites un saut vers l'avant et la voix s'élève à nouveau :

« GRSUURE ! »

Et, dans un grondement pareil au tonnerre, les deux statues quittent leur socle de marbre et foncent vers vous. Vous contournez les colonnes du temple en essayant de les semer. Les statues sont lourdes, mais très agiles. Vous parvenez tout de même à atteindre le drôle de petit bâtiment de pierres érigé au milieu du temple qui, cependant, ne possède pas… DE PORTE !

OH LÀ LÀ ! Allez au chapitre 97.

30

Les marins, assis dans leur chaloupe, tirent les chaînes du bossoir et descendent avec leur capitaine jusqu'à la mer. À bord, il ne reste plus que vous.

Tu fais le grand écart pour embarquer dans votre chaloupe, mais tu découvres, avec horreur, qu'il y a un trou de plus d'un mètre dans le plancher…

Lors de l'impact, le gluberg a éclaboussé toute la plage avant du navire du pont et a fait des trous partout, même dans votre embarcation. Vous hurlez au capitaine de faire demi-tour, mais les hélices du navire qui tournent toujours vous éloignent de toutes les chaloupes qui valsent déjà loin derrière vous sur l'océan.

L'aube se lève, mais le bateau sombre encore plus. Devant vous surgit du brouillard une île mystérieuse, répertoriée sur aucune carte. Vous vous croisez les doigts en espérant que le navire ne sombrera pas avant d'avoir atteint cette île au grand rocher en forme de crâne.

Le navire, qui voguait rapidement vers l'île, s'enfonce dans les hauts-fonds de sable et s'arrête brusquement. Tous les trois, vous êtes éjectés violemment et projetés dans l'eau…

PLOUCH ! PLOUCH ! PLOUCH ! *au chapitre 42.*

31

Passablement nerveux, vous réussissez à les contourner sans qu'elles ne vous voient.

Plus aucune présence dangereuse autour de vous. Vous filez en direction du temple. Peu à peu, le sol se fait spongieux sous vos pieds. On dirait des marécages ! Ils sont visqueux en plus. Embourbés jusqu'aux genoux, vous avancez péniblement. Pour lever votre jambe et faire un seul pas, il vous faut rassembler toutes vos forces. Au beau milieu du marécage, vous êtes tout éblouis par la beauté d'un zèbre qui traverse le grand étang coupé de joncs. Soudain, le bel animal s'enfonce rapidement et disparaît dans l'eau verte.

Vous surmontez votre terreur et poursuivez votre route, sans même changer de direction. Votre persévérance porte fruits, car un peu plus loin, vous parvenez à atteindre un sol solide où pousse une végétation dense. Entre les palmiers qui pointent vers le ciel, vous apercevez les piliers fissurés et à demi effondrés du temple tout de marbre.

Allez au chapitre 58.

32

Déguisés comme si vous alliez ramasser des bonbons un soir d'Halloween, vous êtes dirigés vers la sortie du village. Là, escortés par tous les Pygmées chasseurs, vous entamez une longue marche sur les dunes sablonneuses d'un désert. Les rayons du soleil sont accablants. Vous arrivez enfin à l'entrée d'une arène fortifiée, isolée au beau milieu du désert. Tu ravales ta salive bruyamment lorsque tu aperçois les portes : elles sont gigantesques. Il y a quelque chose du genre *King Kong* qui vous attend derrière celles-ci, c'est certain.

Quatre Pygmées actionnent un mécanisme fait de poulies de bois et de cordage, **CRIC ! CRIC ! CRIC !** et les deux lourdes portes s'ouvrent. Dans l'arène, vous êtes éblouis par les coffres remplis de pierres précieuses, de colliers de perles et de pièces de monnaie luisantes. On dirait tous les trésors réunis dans un même endroit. De l'or de la caverne d'Ala Bibi au fric de Gill Bates, le multimillionnaire des jeux vidéo.

Juste comme vous alliez vous réjouir, un raclement terrifiant résonne dans toute l'arène, **CRRRRR !**

« GROGRO ! GROGRO ! » se mettent à hurler tous les Pygmées perchés tout autour de vous sur la haute muraille, faite de troncs de palmiers.

Allez au chapitre 41.

33

Leur chef neutralisé, les autres Pygmées s'enfuient en courant maladroitement au bout de leurs échasses.

Tu remarques que le chef porte à son cou un médaillon sur lequel il y a l'image d'un coffre aux trésors. Tu troques ta flûte contre son collier avec, en prime… SA VIE ! Ça, c'est une offre qu'il ne peut refuser.

Tu fais l'échange avec lui et tu le laisses filer. Jean-Christophe voudrait bien lui botter le derrière, mais sa sœur, Marjorie, le retient, car il ne faut jamais s'en prendre aux plus petits que soi, même si les plus petits que soi voulaient faire de vous leur prochain repas…

Tu ouvres le médaillon et découvres à l'intérieur un plan tracé sur un petit bout d'écorce. Vous le comparez à votre carte et découvrez exactement où il mène. Vous descendez rapidement du rocher et vous vous rendez à ce point indiqué, juste un peu à l'ouest.

C'est une clairière, au centre de laquelle il y a une grande marmite qui contient non pas des pièces d'or, mais bien de l'eau qui bouillonne avec quelques carottes. Autour de vous surgissent des dizaines de Pygmées, armés de sarbacanes à fléchettes empoisonnées. Ils gonflent leur poitrine et soufflent tous dans leur petit tube…

FIN

34

Dehors, les gorilles à tête de mouche s'agitent. Ils grognent et frappent sur le sol avec de gros gourdins. L'heure du repas vient de sonner et… C'EST LA DÉBANDADE DANS LE CACHOT !

Sachant bien que ça presse, tu prends tout de même quelques secondes pour examiner minutieusement la forme des deux clés, car tu sais que tu n'auras le temps d'en essayer… QU'UNE SEULE !

Laquelle choisis-tu ?

Tends le bras jusqu'au chapitre inscrit près de la clé que tu auras choisie, et essaie de la saisir…

35

Courir dans le sable, vous avez déjà essayé de faire ça ? Les fantômes, eux, flottent en l'air et vous rattrapent assez vite. De force, vous êtes escortés jusqu'au sous-marin. Le capitaine vous accueille à bord de son bâtiment de guerre. Il vous tend ensuite une carte et, d'une façon menaçante, exige que vous lui dévoiliez le lieu où se situe la base secrète américaine.

« La direction de quoi ? lui demandes-tu en gesticulant devant lui. Mais la guerre est finie depuis très long-temps…

— FINITO ! fait Marjorie devant les autres fantômes, qui se regardent, stupéfaits. FINI LES BOUMS ! BOUMS ! ET LES TACS-A-TACS ! »

À bord du sous-marin, c'est l'explosion de joie. LA GUERRE EST TERMINÉE ! Les fantômes vous prennent entre leurs bras transparents et vous font de gros câlins qui vous mettent mal à l'aise. Après toutes ces années sous l'eau, ils vont pouvoir se payer du bon temps. Sur la plage, ils prennent tous du soleil. Les premiers jours avec vos nouveaux amis se déroulent assez bien, sauf que… Avez-vous déjà rencontré des fantômes avec un coup de soleil ? Évitez-les ! Car ils sont d'humeur vraiment… MASSACRANTE !

FIN

36

Jean-Christophe avait tout compris depuis le début. Il y a incontestablement un trésor inestimable sur cette île. Les signes gravés sur la paroi le confirment. Cependant, les indications quant à son emplacement ne sont pas aussi claires.

Examine bien les signes. Crois-tu qu'ils t'indiquent d'aller au chapitre 51 ou 81 ? Rends-toi à celui qui, tu crois, est le chemin qui te conduira tout droit au trésor.

37

Tu fouilles nerveusement au travers des branchages, sans trouver de liane. La tête répugnante d'un ver apparaît au bord de la plate-forme de bois. Vous sautez de l'autre côté du tronc pour vous cacher dans la cabane en rondins.

À l'intérieur de la petite habitation, vous placardez la porte et bouchez toutes les issues. Dehors, les vers grattent le bois avec leurs longues pinces et essaient d'entrer. Tu as soudain l'impression d'être une pomme qui va finir transpercée par un ver. Tu chasses cette idée de ton esprit et cherches une façon de vous sortir de ce mauvais pas.

Dans une grande malle sont remisés masques de bois, pagnes de paille, lances pointues et crèmes de maquillage multicolores.

« Ça y est ! J'ai une bonne idée ! lances-tu à tes amis. Et puis, ça va nous changer de nos habituelles tenues vestimentaires. Enfilons tout ça et faisons-leur la guerre… »

N'écoutant que votre courage, vous ouvrez la porte et engagez le combat. Sur la plate-forme, vous vous jetez sur les vers comme des affamés.

À grands coups de lance, vous parvenez à vous frayer un chemin jusqu'au chapitre 50.

38

Le vieux voilier échoué des pirates est un choix judicieux, car qui dit pirates et flibustiers, dit aussi... BUTIN ! D'après la carte, il vous faut piquer au travers de la jungle sauvage de l'île pour vous y rendre. C'est la voie la plus rapide, mais c'est aussi la plus dangereuse.

Vous vous y engagez avec inquiétude. Entre les arbres et les hautes broussailles épineuses, vous progressez en jetant des coups d'œil nerveux au-dessus de vos épaules. Devant vous, un busard aux ailes sombres plonge la tête au fond d'une grosse carcasse de rhinocéros. Il réussit à arracher un morceau d'entrailles avec son bec dégoulinant et l'avale. Vous n'avez rien à craindre de ce répugnant oiseau rapace qui ne mange que des restes. Faites-vous plutôt du souci pour la créature qui a tué cet énorme et féroce rhinocéros.

Plus loin, derrière une rangée de beaux palmiers, vous distinguez avec soulagement la plage sablonneuse. Pas très loin du rivage, comme l'indique la carte, un grand voilier brisé en deux s'est échoué aux abords de l'île, il y de cela plus d'un siècle. La partie arrière du navire est immobile et presque complètement immergée. Les cordages et la mâture retiennent prisonnière l'autre moitié qui flotte toujours et qui se balance au gré de la houle de l'océan Horrifique.

Allez au chapitre 47.

39

Le gorille à tête de mouche a reçu ta flèche en plein cœur. Il se met à tituber et tombe sur les genoux. Vous regardez, abasourdis, la mouche battre des ailes et quitter ce corps de gorille poilu qui s'affaisse sur le sol. Au loin, la mouche s'envole en tournoyant.

BZZZZZZZZZZZZ !

« Qu'est-ce c'était que cette abomination ? demande Marjorie, dégoûtée. Vous avez vu ? C'est comme si cette mouche avait pris possession d'un corps de gorille et le contrôlait comme s'il s'agissait d'une vulgaire mécanique.

— Moi, je dis que c'est le champ magnétique que génère l'île qui est à l'origine de tout cela, commences-tu à expliquer à tes amis. Vous n'avez pas remarqué, mais nos montres se sont arrêtées lorsque nous avons mis le pied sur l'île, et cet avion, c'est curieux qu'il se soit écrasé juste aux abords du rocher en forme de crâne, vous ne trouvez pas ? Rappelez-vous les moteurs du paquebot, ils ont cessé de tourner juste comme nous approchions de l'île.

— Peut-être qu'un savant fou se livre à de la manipulation génétique, réfléchit Jean-Christophe. Ce monstre était peut-être le résultat d'un clonage, raté... »

Il y a là matière à réflexion... Allez au chapitre 100.

40

La paroi de la caverne est un petit peu trop éloignée. Tu peux toucher la clé avec le bout de tes doigts, mais tu es incapable de mettre le grappin dessus. Tu utilises une flèche pour ajouter à ta portée et tu réussis à la ramener vers toi. Dans la galerie principale de la caverne, les gorilles mutants s'amènent.

Tu insères vite la grosse clé dans la serrure, mais rien à faire… ELLE NE VEUT PAS TOURNER ! Tu remarques, tout à coup, une série de petits trous sur la branche creuse de la clé, comme une flûte. Tu portes le petit instrument à ta bouche pour en tirer quelques notes, et la serrure de la porte fait ⊂L|⊂ ! Elle vient de s'ouvrir…

Vous sortez et arrivez nez à nez avec les gorilles qui se tiennent la main et dansent. Vous regardez, tous les trois, la scène avec ahurissement. Cette flûte est magique ! Tu la ranges précieusement dans ta poche, et vous filez comme des boulets de canon vers un passage qui remonte, laissant derrière vous les gorilles à tête de mouche faire la fête.

La lumière du jour apparaît enfin au bout du passage qui débouche sur le sommet du rocher.

La vue est magnifique, mais ce n'est pas le moment de jouer aux touristes. Allez vite au chapitre 74.

41

Au centre de l'arène, un monticule de grosses pierres se matérialise en monstre gigantesque, gardien du trésor de tous les trésors. Grogro, c'est lui ! Une créature belliqueuse de quatre tonnes… PRÊTE À VOUS ÉCRABOUILLER !

Le combat débute au chapitre 91.

42

Une nageoire dorsale perce la surface de l'eau et vous force à nager comme des fous jusqu'au rivage de l'île. Étendus tous les trois dans le sable, vous essayez de reprendre votre souffle.

Devant vous, entre deux grands palmiers, gît la carcasse d'un petit hydravion rongé par la végétation. Il s'est écrasé ici, sur cette île, il y a très longtemps. Dans la cabine, vous découvrez les restes du squelette du pilote qui n'a pas survécu à l'écrasement. Dans la poche de sa veste safari, il y a un plan.

Vous le déroulez et remarquez qu'il s'agit d'une carte de Crânîle. Tu examines la carte en détail.

« Si j'ai bien compris, commences-tu à expliquer à tes amis, nous avons échoué sur Crânîle, et cet aventurier, paix à son âme, venait sur l'île pour y chercher un trésor.

— UN TRÉSOR ! répète Marjorie. Il n'y a même pas de X sur cette carte pour indiquer la présence d'un quelconque trésor caché.

— Regarde dans la soute de l'avion, lui montres-tu. Il y a des pelles, des pics et des grands sacs vides. Ce X, nous allons le trouver, mais il va falloir chercher sur toute l'île. »

Une chasse au trésor ! Ça va vous changer, vous, les Téméraires de l'horreur, de vos habituelles chasses aux fantômes. Allez au chapitre 4.

43

Ta flèche va se planter dans une des pattes du sanglier, qui s'en retourne d'où il venait en boitant. Tu n'as pas l'habitude de faire des bobos aux animaux, mais là, tu n'avais pas le choix. C'était une question de vie ou de mort, ta mort en plus…

Plus loin, vous arrivez en face d'une très vieille pierre tombale toute craquelée, érigée au beau milieu de la jungle. Qui a été enterré ici ? Elle est rongée par l'érosion, et la végétation la recouvre partiellement. Vous parvenez tout de même à lire l'épitaphe.

ICI GÎT MERCREDI, qu'il y est gravé. AMI DU NAUFRAGÉ.

Vous vous regardez tous les trois.

« J'crois qu'ils se sont trompés de nom, remarque Marjorie. Ou d'histoire… »

Au pied de la stèle sont aussi inscrites des indications sur l'emplacement d'un trésor caché sur l'île. OUAIS !

Vous soufflez sur les lettres pour enlever le sable. Malheureusement, la pierre tombale craque et tombe en mille morceaux…

Très déçus, vous repartez vers le chapitre 4 pour choisir une autre voie…

44

Au moment où vous vous dirigez vers le temple, **CRRRRRRR !** Un curieux raclement de pierres qui se frottent l'une sur l'autre se fait entendre. Vous vous arrêtez tous les trois et examinez le temple, car ce bruit ne pouvait pas provenir d'ailleurs…

Observe bien le temple ! Y a-t-il une différence entre cette image et l'image précédente ? Si tu crois qu'il y en a une, rends-toi au chapitre 29. Si tu penses, par contre, que c'est tout simplement votre imagination qui vous joue des tours, va au chapitre 96.

45

QUELLE GAFFE !

Tu viens juste de dire à l'empereur des poissons que tu avais une envie folle de manger… DU POISSON !

Il se dresse à nouveau sur son trône et entre dans une colère noire. Il fait ensuite tourner son sceptre devant lui comme une majorette, et vous fait enfermer tous les trois dans une espèce de cachot gluant, dans les plus profonds soubassements de la tour.

La lourde grille blanche se ferme toute seule derrière vous. Quel endroit dégoûtant ! Ça sent hyper mauvais ici. Et ce sol mou sur lequel vous avez peine à demeurer debout. Dégueulasse ! Au plafond, il y a un truc qui ressemble à un punching ball. Qu'est-ce que ça veut dire tout cela ? Ce décor qui vous entoure ne peut signifier qu'une chose : vous n'êtes pas dans un cachot, mais dans la bouche d'un énorme animal. Pas besoin de chercher de sortie : il n'y en a qu'une, et c'est l'œsophage qui conduit à son estomac. Résignés à votre sort, vous attendez, confortablement assis tous les trois sur sa grosse langue, que l'animal fasse… **GLOURB** !

FIN

46

Rapidement, vous vous habillez et enfilez votre veste.

Sur le pont, c'est la panique ! Les gens quittent le paquebot à pleines chaloupes. La moitié des lumières se sont éteintes, et la proue du bateau commence déjà à piquer du nez vers le fond de l'océan.

À la passerelle de navigation, le capitaine vous informe que cette nuit, à cause d'un orage magnétique, tous les instruments sont devenus fous, et le navire a dévié de sa course. Perdus au beau milieu du tristement célèbre triangle des Bermudes, nous avons heurté... UN GLUBERG !

« UN GLU QUOI ? demandez-vous, tous les trois, à l'unisson.

— Un gluberg est une masse flottante qui s'est détachée d'une île maudite appelée Crânîle, vous explique-t-il. À la différence d'un iceberg, les glubergs sont mous et peuvent dissoudre une coque d'acier de plus de 30 centimètres et faire un trou géant. Notre navire a à peine touché ce gros tas de gélatine, mais nous allons tout de même sombrer dans les abîmes... Regardez-le, ce salaud ! » vous montre le capitaine en pointant la mer derrière la poupe du bateau.

Vous vous penchez tous les trois à tribord pour regarder au chapitre 87.

47

Marjorie escalade un rocher et scrute la surface agitée de la mer. L'eau claire comme du cristal lui permet de bien sonder le secteur. Pas de nageoire dorsale de requins sillonnant cette partie d'eau entre le rivage et le navire, ni de méduses venimeuses. Vous vous jetez donc à l'eau et nagez vers le navire.

Soudain, sans que rien ne le laisse présager, un grand remous apparaît, et des vagues cinglantes vous frappent. Est-ce une tempête tropicale ? Non, car devant vous, un tourbillon d'eau s'élève hors de la mer et prend la forme d'une créature mi-femme, mi-pieuvre. Vous faites du sur-place quelques secondes en cherchant à savoir si ses intentions sont bonnes ou mauvaises. La créature transparente constituée uniquement d'eau salée et de bulles te sourit d'une façon méchante et fonce vers toi, tous tentacules devant. Va-t-elle réussir à t'attraper ?

Pour le savoir…

… TOURNE LES PAGES DU DESTIN.

Si cette créature bizarre t'englobe et t'attrape, rends-toi au chapitre 15.

Si, par contre, tu réussis à t'enfuir, nage vite jusqu'au navire qui se trouve au chapitre 3.

48

Vous vous retenez à un pilier lorsque la coque du navire émet un craquement sinistre.

CRIIIIIIII !

Est-ce que ce vieux navire va tenir assez longtemps pour que vous puissiez découvrir tous ses secrets ? En espérant que la chance soit de votre côté, vous poursuivez, comme des archéologues, la fouille méticuleuse de l'endroit.

Derrière une lourde porte, vous découvrez avec horreur les squelettes des prisonniers toujours enchaînés. Ils attendent, immobiles, la tête tombée sur le torse. Sans doute de pauvres diables torturés par ces pirates barbaresques. Accroché au plafond de la cellule, suspendu dans un filet de pêche, un petit coffre se balance dans le sens contraire du roulis du navire. Fous de joie, vous le décrochez. Il est lourd : il contient quelque chose, ça, vous en êtes certains. Les pentures et la serrure sont pas mal rouillées. Va-t-il s'ouvrir ? Pour le savoir…

… TOURNE LES PAGES DU DESTIN.

Si le coffre s'ouvre, allez au chapitre 101.
Si, au contraire, il est verrouillé, rendez-vous vite au chapitre 71.

49

    Pour former un carré et ouvrir le coffre, crois-tu qu'il faudrait faire glisser les plaquettes de bois vers l'intérieur en suivant cet ordre : A, C, D et B ? Si oui, va au chapitre 99.

    Tu penses qu'il serait mieux d'essayer plutôt dans cet ordre-là : C, D, A, et B ? Rends-toi dans ce cas au chapitre 92.

50

Au centre du village, vous arrivez devant une fontaine dans laquelle flotte une statue affreuse de monstre à tentacules. La statue ballotte dans un étrange liquide. Son œil unique brille de mille éclats, comme une pierre précieuse.

Votre désir de richesse, plus fort que votre frayeur, vous pousse à vous en approcher. La statue penchée tourne dans le liquide, pointe son œil vers vous... ET S'ARRÊTE !

C'est un gros saphir ! Une pierre de cette taille-là va chercher entre les 100 et 120… CASSETTES DE JEUX VIDÉO !

Avec ta lance, tu réussis à déloger la pierre qui, cependant, tombe au fond du bassin de la fontaine, entre des cailloux. Cette eau brunâtre ne t'inspire pas confiance, mais tu y plonges le bras quand même.

Avant même que tu aies pu toucher le saphir, de curieux petits éclairs électriques entourent ton bras. Tu le retires vite de la fontaine, mais il est trop tard. Le bout de ton index change de couleur, et tout ton bras se met à se muer en tentacule. Tu as mal partout. Ton visage se crispe sous la douleur lorsque tes deux yeux se collent l'un à l'autre… POUR N'EN FORMER QU'UN SEUL !

FIN

51

Excités et certains de votre affaire, vous vous enfoncez profondément dans la grotte. Au fond, toutefois, il y a non pas un trésor, mais plutôt une rivière souterraine qui coule sous les roches jusqu'à une autre galerie. Vous plongez tous les trois, TRIPLE **SPLOUCH** ! et nagez au fond dans l'eau bleutée. Vous redoublez d'ardeur lorsqu'un banc de piranhas aux dents redoutables comme des lames de rasoir se lancent à vos trousses. La lumière diffuse de la galerie perce enfin la surface. Vous sortez de l'eau juste à temps. Ouf !

Vous contemplez maintenant avec crainte cette galerie aux dangereuses stalactites qui pendent partout au-dessus de vos têtes. Le soleil pénètre dans la galerie par un grand trou rond. Tu consultes la carte et constates que vous êtes dans l'une des orbites du rocher de la tête de mort. Soudain, vos pieds glissent sur le sol, et vous êtes irrésistiblement attirés tous les trois vers un gigantesque caillou rond situé au beau milieu d'un cratère… C'EST UN MÉTÉORE MAGNÉTIQUE ! Votre dos se colle à sa surface rugueuse, et vous êtes incapables de bouger le moindre muscle. Immobilisés de cette façon, vous n'avez d'autre choix que d'attendre que ce météore perde son champ magnétique… DANS ENVIRON 110 ANS !

FIN

52

Au moment où vous pensez avoir fui ces ignobles insectes, des dizaines de minuscules Pygmées peints en mauve, arborant des masques, tombent comme des fruits mûrs de la cime des arbres et vous encerclent. Tu te rappelles soudain le dessin sur la paroi de la grotte : il y avait des personnages masqués, comme ces Pygmées. Ils dansaient avec des lances autour d'un coffre aux trésors. L'un d'eux s'avance vers toi et te crie au visage :

« GROGRO !

— Euh ! Grogro ? » bafouilles-tu, sans trop comprendre.

Les autres vous menacent de leurs lances et répètent tous ensemble :

« GROGRO !

— Grogro quoi ? fait Jean-Christophe, qui n'a pas compris plus que toi.

— GROGRO ! hurle très fort un autre petit Pygmée. GROGRO !

— GROGRO MON ŒIL ! s'impatiente Marjorie. Ils commencent sérieusement à me tomber sur les nerfs avec leur Grogro. Que ces cannibales nous mangent, et qu'on en finisse une fois pour toutes. »

Voyant qu'aucune communication n'est possible, ils vous poussent, sous la menace de leurs armes, jusqu'à leur village, au chapitre 24.

53

Grogro fait tournoyer son lourd poing de pierre haut dans le ciel et le rabat vers vous. Tu fermes les yeux, même si ce n'est pas en te cachant derrière tes paupières que tu vas éviter de te faire aplatir comme une crêpe par ce monstre.

Tu attends la fin. Tout devient très silencieux autour de vous. Ce très lugubre silence ne peut signifier qu'une chose pour vous… VOUS ÊTES MORTS TOUS LES TROIS ! Eh bien ! Ce n'était pas si douloureux que ça de passer de vie à trépas…

Une brise légère souffle sur ton visage. Tu respires profondément, soulagé que cette foutue aventure soit terminée, même si elle ne s'est pas terminée comme vous l'espériez.

Vous ouvrez lentement les yeux. Vous êtes tout éberlués de voir que vous n'êtes pas des âmes vêtues de blanc en train de flotter parmi les nuages, mais que vous vivez encore. Devant vous, Grogro est toujours là, immobile et souriant. Il tient devant la bouche de Marjorie un microphone et lui demande, d'une belle voix d'animateur :

« MARJORIE ! DIS-MOI, QUEL EST TON POSTE DE RAAADIO PRÉÉÉÉFÉRÉ ? »

AAAALLEZ AU CHAPITRE 17.

54

Tu fermes les yeux et **TCHAC !** Le sabre vient se planter dans le coffre. Une chance que tu l'avais pour te protéger. Tu attends quelques secondes, puis tu ouvres un œil. Le sabre diabolique semble avoir perdu ses pouvoirs, car il ne bouge plus. D'un geste brusque, tu le retires du coffre et tu le jettes au loin.

CLANG !

Tu te mets à examiner ce petit coffre ciselé de perroquets et d'oiseaux exotiques. Il est lourd. Tu le brasses un peu, **CLOC ! TOC ! TOC !** OUAIS ! Il y a quelque chose dedans. Peut-être des doublons d'or valant une fortune. Tu vas être riche ! Cette perspective est très intéressante, mais tu ne sais pas comment il s'ouvre. Tu tournes le coffre de tous bords et de tous côtés.

« IL N'Y A PAS DE SERRURE ! cries-tu à tes amis. Il s'ouvre comment ? »

Marjorie et Jean-Christophe s'approchent et l'examinent avec toi.

« Pas de serrure ! Il ne peut donc s'agir que d'un coffre casse-tête de l'île de Madagascar, en conclut Jean-Christophe. Il faut faire glisser les petites plaques de bois dans un ordre bien précis et former un carré. Si nous réussissons, il s'ouvrira. »

Allez étudier la façade casse-tête du coffre en bois au chapitre 49.

55

Au sommet du rocher, une vue imprenable de toute l'île s'offre à vous : de la tour en forme de coquillage à l'épave du voilier, en passant par ce vieux temple, vestige d'Atlantis ressorti des profondeurs de l'océan, qui s'étend à perte de vue.

Vous jetez tour à tour un œil prudent dans les profondeurs des deux immenses et profonds trous, creusés à même le roc. Ce sont les orbites vides du rocher en forme de tête de mort. De l'une des orbites s'échappe une curieuse fumée, tandis que dans l'autre, un escalier en colimaçon, sculpté dans le roc, s'enfonce dans la pénombre. Vous choisissez la voie de la facilité et vous dévalez les marches. Tout en bas, vous trouvez une très grosse roche, parfaitement ronde sur laquelle semblent collés des doublons d'or, des lingots d'argent et des bijoux sertis de pierres précieuses…

Fou de joie, tu t'approches et tu essaies d'arracher quelques pièces, mais tu en es incapable. C'est comme si elles étaient collées au rocher avec de la *Super-glue*. Tu lèves la tête et comprends que ce rocher est en fait une grosse météorite magnétique venue de l'espace. Vous tombez sur un trésor d'une valeur inestimable et vous ne pouvez même pas prendre… UNE SEULE PIÈCE D'OR !

Allez au chapitre 65.

56

« Une seule goutte, s'il vous plaît, te supplie l'horrible abeille. Ça ne fait que chatouiller un peu.

— MON ŒIL ! t'écries-tu, en plaçant ta main devant toi. Pas question de faire des trous dans ma peau. »

Les mandibules de l'abeille s'allongent, et elle se jette sur toi, sans ton approbation. En te balançant à la corde, tu évites de justesse son gros aiguillon qui vient percuter violemment la paroi rocheuse et se brise, **CRAC !** L'abeille se met à pleurnicher et s'envole hors de l'orbite du rocher. Après ce léger contretemps mutant, tu jettes un œil dans le trou, et vous vous y engagez. Tu distingues quelque chose dans l'obscurité… Mais oui ! C'est un téléphone public : vous allez pouvoir contacter les autorités pour que l'on vienne vous secourir. Tu sors une pièce de ta poche et constates, à regret, que l'appareil n'accepte que des DOUBLONS D'OR !

COMMENT ? QUOI ? Mais c'est COMPLÈTEMENT impossible…

Tu décroches tout de même le récepteur et tu le portes à ton oreille. IL Y A UNE TONALITÉ ! NON ! C'est le bourdonnement des autres abeilles mutantes de la ruche qui s'amènent vers vous…

FIN

57

Vous devez conjuguer vos forces pour faire bouger la lourde dalle. Devant le bâtiment, vous la poussez dans la cavité. La dalle pivote, tombe et s'enfonce seulement de moitié. ZUT ! Ce n'est pas la bonne. Vous essayez de la retirer, mais vous en êtes incapables. Jean-Christophe essaie encore une fois, mais ça ne sert à rien de bûcher dessus pendant cent ans, elle est coincée...

Vous vous regardez tous les trois, la mine déconfite.

« Fini le trésor ! soupires-tu. Pas de système de son super débile ni de cool vélo de montagne à suspension...

— Tu parles, quelle équipe de faiblards nous faisons, s'emporte Marjorie. Nous ne sommes même pas capables de terminer un casse-tête, c'est navrant...

— NULS ! que j'ajouterais, dit Jean-Christophe. Nous sommes complètement nuls... »

Tous les trois, vous continuez à vous taper dessus à coup de gros mots et d'insultes méchantes. Sachez bien qu'autant de pessimisme ne peut que brimer votre confiance en vous-mêmes, ainsi que vous conduire directement à la...

FIN

Sur une grande plate-forme rocheuse se dressent les vestiges de ce qui était autrefois un temple majestueux. La construction, vieille de plus de 5 000 ans, porte partout des sculptures finement ciselées de coquillages et de poissons. Il y a aussi des traces d'algues séchées qui vous portent à croire que le temple était jadis… SUBMERGÉ ! C'est comme si ce temple gisait au fond de la mer, et qu'un cataclysme l'aurait carrément sorti de l'eau.

Approchez-vous tous les trois du temple en passant par le chapitre 44.

59

La flèche siffle et va se planter dans un arbre. **CHLAC!** C'EST RATÉ!

Le gorille à tête de mouche se jette sur vous avec férocité et vous saisit tous les trois avec ses grands bras velus. Comprimés les uns sur les autres, vous êtes traînés jusqu'à sa tanière, creusée à même le rocher, aux limites de la forêt. Là, vous êtes au bord de l'asphyxie. Toute une meute de gorilles mutants vous accueillent en se frappant le torse.

Au fond de la caverne sombre et humide, vous êtes tous les trois poussés dans une sorte de cachot aux barreaux de bambou. Le gorille à tête de mouche fait claquer la grande porte, **CLAC!** et la verrouille, **CHLIC!**

Jean-Christophe s'élance vers la sortie et se met à secouer la porte. **BLANG! BLANG!** Rien à faire. C'est en bois, mais c'est aussi solide qu'une grille de fer. Dehors, les gorilles se sont regroupés autour d'un grand feu. Ça ne présage rien de bon pour vous.

Avec une flèche, vous essayez de forcer la serrure, mais **CLAC!** Elle se brise.

Vert de peur, tu te rends au chapitre 106.

60

« Enlève ce poignard de ta bouche, te supplie Marjorie, effrayée par tous ces dangereux pirates sans pitié. Je veux m'en retourner…

— NON ! te retient Jean-Christophe. Ces pirates naviguent vers Crânîle pour y cacher leur butin. Il faut rester avec eux. De cette façon, nous saurons avec précision où va être enterré le trésor. »

Du poste de vigie, en haut du grand mât, un des pirates hurle :

« VOILIER EN VUE ! »

Tu attrapes une lunette d'approche et tu la pointes à l'horizon. Il s'agit d'un redoutable vaisseau de guerre britannique lourdement armé pour lutter contre la piraterie. S'il vous aperçoit, non seulement votre plan tombera à l'eau, mais le bateau pirate aussi…

Est-ce que le marin posté à la vigie de ce navire de guerre va vous apercevoir ? Pour le savoir…

… TOURNE LES PAGES DU DESTIN.

S'il vous a vus, préparez vos canons au chapitre 85.
Si, au contraire, il n'a pas remarqué votre présence sur la mer, voguez jusqu'au chapitre 103.

61

MISÉRICORDE ! La clé est tombée…

Tu essaies désespérément de la ramener vers toi avec la flèche, mais rien à faire. Trois gorilles mutants apparaissent soudain devant la grille. L'un d'eux saisit la clé qui était tombée par terre et ouvre la porte, CHLOC ! C'était bien la bonne… De leurs mains poilues et puissantes, ils vous attrapent et vous expulsent du cachot.

« Ça y est ! murmure Jean-Christophe. Ils vont nous embrocher et nous faire cuire comme des petits poulets au-dessus d'un grand feu. »

Comme tu fais lorsque tu vas chez le dentiste, tu fermes les yeux jusqu'à ce que ce soit terminé.

Dehors, à l'entrée de la caverne, vous êtes tous les trois étonnés de voir qu'il y a non pas du feu, mais juste un bol rempli de bananes mauves, posé sur une table de rotin. Afin d'éviter quelque chose du genre incident diplomatique, tu en pèles une et tu prends une bouchée du fruit mou au parfum de Slush bleue. Très vite, des changements s'opèrent en toi, et tu te sens comme si des milliers d'aiguilles te perçaient la peau. Tu voudrais crier OUCH ! avec ta bouche, mais c'est un long BZZZZZZ ! qui sort de ta trompe d'insecte.

FIN

62

Lentement, avec des gestes calculés, vous escaladez la paroi du rocher, en accrochant vos doigts de façon méthodique dans des fissures, et en posant les pieds sur des saillies. Juste en bas, c'est tout le contraire pour les fourmis. Très agiles, elles grimpent et courent rapidement à la verticale du rocher, comme elles le font sur la terre ferme.

Vous réussissez malgré tout à atteindre le sommet avant qu'elles ne vous attrapent. Devant vous, le gouffre de la bouche vous sépare de l'autre partie du rocher en forme de crâne. L'horrible visage de la première fourmi apparaît au rebord du sommet du rocher, juste derrière vous. Pris de panique, vous optez pour la seule solution qui s'offre à vous. Vous prenez votre élan et courez pour sauter de l'autre côté. Au moment où vous bondissez au-dessus du vide, trois fourmis volantes vous attrapent et vous ramènent au pied du rocher où attend maintenant toute la colonie.

Tu essaies d'entamer une discussion avec elles. Après tout, tu as une chance sur deux qu'elles te comprennent, car elles sont mi-humaines, mi-insectes. Mais l'instinct de la deuxième moitié l'emporte sur la première, et elles convergent toutes vers vous en faisant claquer leurs mandibules tranchantes.

FIN

63

Il campe ses deux petits yeux brillants dans les tiens, racle le sol avec son sabot, et fonce vers vous dans un grondement assourdissant.

Comme tu te lèves pour partir, ton pied s'enlise dans du sable mouvant et tu commences à t'enfoncer. Jean-Christophe et Marjorie tirent de toutes leurs forces. Dans un bruit de succion, **SHHHH POP !** ils réussissent à te libérer.

Le rhinocéros est tout près. Sa défense, pointue et mortelle, n'est plus qu'à quelques mètres de vous. Tu plonges derrière un gros arbre aux racines tortueuses, emportant tes amis avec toi. Le rhinocéros freine, mais il s'enlise dans les sables mouvants. Ça va le ralentir, le temps que vous puissiez fuir.

Tu jettes rapidement un coup d'œil circulaire autour de toi. À 20 heures, comme dirait un pilote d'avion de chasse, il y a une forêt où les palmiers sont presque collés les uns aux autres : ce gros lourdaud de rhino ne pourra pas passer au travers.

Tu attrapes la main de tes amis et tu les tires cette fois-ci vers les palmiers au chapitre 95.

64

Le serpent de mer attrape ta flèche avec une agilité incroyable et l'avale. OUPS ! Là, vous êtes vraiment dans le pétrin. Avec les mains, vous vous mettez à ramer.

Avec l'énergie du désespoir, vous parvenez à vous éloigner pas mal. Loin derrière, le serpent plonge sous l'eau et disparaît. Tu cherches de tous les côtés en quête du moindre mouvement. Une ombre passe rapidement sous votre embarcation, et des bulles d'air arrivent à la surface, droit devant. Vous stoppez la coquille et vous vous mettez à ramer dans l'autre sens. Le serpent de mer surgit dans une gigantesque colonne d'eau et replonge à nouveau. Vous vous mettez à ramer vers la droite, et il réapparaît à deux mètres de vous. Il vous tient à sa merci ! Vous le savez, et il le sait aussi…

Cet horrible monstre, à la dentition très développée, va s'amuser comme ça avec vous, pendant de longues minutes, jusqu'à ce que sonne… L'HEURE DU DÎNER !

FIN

65

« J'AI UNE IDÉE ! s'exclame tout à coup Jean-Christophe. Si nous réussissons à ouvrir cette porte, CE TRÉSOR EST À NOUS ! »

Regarde bien le mécanisme qui sert à déverrouiller la porte.

Pour réussir à l'ouvrir, devrais-tu tourner la manivelle dans le sens des aiguilles d'une montre ? Si oui, rends-toi au chapitre 22.

Si tu crois cependant que tu devrais tourner la manivelle dans l'autre sens, va au chapitre 88.

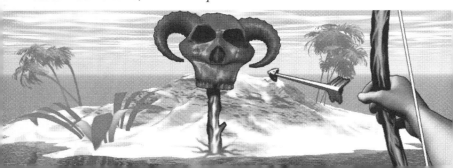

66

La curiosité l'emporte sur votre peur ; vous vous dressez sur la pointe des pieds et étirez le cou. De terrifiantes fourmis à tête humaine dévorent la carcasse d'un zèbre mort. Elles viennent de flairer votre présence. Elles se tournent vers vous...

… et se lancent à votre poursuite. Vont-elles réussir à vous attraper ? Pour le savoir…

… TOURNE LES PAGES DU DESTIN.

Si elles vous attrapent, allez au chapitre 62.
Si vous parvenez à vous enfuir, allez au chapitre 52.

67

Les gorilles mutants s'amènent en trombe. Vous courez vous cacher derrière trois gros stalagmites. La meute grouillante passe devant sans vous voir et se dirige vers le cachot. Ça va grogner fort lorsqu'ils constateront que vous avez pris la fuite.

Vous vous éclipsez par l'entrée pour finalement vous enfouir et disparaître dans la jungle. Vous vous contorsionnez pour passer entre les hautes herbes et les broussailles pleines d'épines, tout en étant aux aguets.

« Quoi ! Tu as vu quelque chose ? demandes-tu à Jean-Christophe, qui vient brusquement de s'arrêter.

— OUI ! chuchote-t-il. Je crois qu'un tigre vient de nous prendre en chasse. »

La peur s'empare de toi lorsque tu aperçois les rayures orange et noires du fauve au travers de la végétation.

« FAUVE DANGEREUX, CONFIRMÉ ! » souffles-tu à tes amis.

Jean-Christophe s'allonge aussitôt de tout son long et se met à ramper comme un lézard dans une autre direction. Marjorie et toi, vous l'imitez.

Les coudes tout égratignés, vous avancez longtemps dans cette position inconfortable jusqu'au chapitre 4. De retour à votre point de départ, tu vas te dire qu'au moins... VOUS ÊTES ENCORE EN VIE !

68

La lame tranchante sous ton menton fait trembler tes jambes terriblement. Tu avales bruyamment ta salive. Dans tes mains, le petit coffre s'ouvre tout seul. À l'intérieur, il y a une belle pomme verte toute fraîche. La pomme s'élève, elle aussi, dans les airs. Maintenant, c'est certain, il y a le fantôme d'un pirate qui se tient devant toi.

Des grosses bouchées sont croquées sur la pomme, **CROC ! CROC !** Les morceaux du fruit s'engagent dans l'œsophage du fantôme et vont flotter dans son estomac transparent.

C'est totalement dégoûtant, mais grâce à cela, Jean-Christophe et Marjorie savent avec précision où se tient le fantôme. Ils attrapent un baril de poudre à canon et le versent sur sa tête. Les contours noirs du pirate coiffé d'un tricorne apparaissent. C'est le capitaine ! Il entre dans une colère terrible et se met à hurler des ordres à son équipage fantôme. Autour de Jean-Christophe et Marjorie surgissent des poignards, des haches d'abordage et des mousquets. Tous les trois, vous êtes brutalement traînés par la meute fantomatique jusqu'au pont du navire où vous resterez solidement attachés et bâillonnés à un mât, jusqu'à ce que les corbeaux viennent dévorer... VOS YEUX !

FIN

69

Tes amis sont maintenant en sécurité sur la plate-forme de l'arbre voisin. À ton tour ! Jean-Christophe te renvoie la liane. Attention, elle arrive très vite. Tu essaies de la saisir, mais ta main passe dans le vide. C'EST RATÉ !

Elle balance maintenant entre les deux arbres, et vous êtes tous les deux incapables de la rattraper. Trois vers apparaissent au rebord de la plate-forme. Tu lances à ton ami une grimace épouvantée. Jean-Christophe casse une branche, accroche la liane et te la renvoie rapidement. Les vers sont presque à tes pieds. Tu sautes dans le vide et attrapes de justesse la liane qui te dépose juste à côté de tes deux amis.

Ouf ! Il s'en est fallu de peu.

Le ciel s'est assombri, est-ce la nuit ? Non, c'est une tempête tropicale qui s'amène. L'eau commence déjà à déferler sur le toit de la cabane. Vous vous réfugiez vite à l'intérieur, où il fait complètement noir. Les rafales de vent arrachent la porte.

CRAAAAC !

Un gros éclair zèbre le ciel et illumine une fraction de seconde… UN TERRIFIANT VISAGE À L'INTÉRIEUR DE LA CABANE !

Allez au chapitre 83.

70

Vous poussez la lourde dalle de marbre jusqu'au petit bâtiment. Là, vous la faites tout de suite pivoter dans la cavité et **BOUM** ! Super ! Elle s'insère parfaitement.

CHHHHH ! Deux portes coulissantes s'ouvrent. On dirait un ascenseur ! Comment pouvaient-ils être aussi avancés à une époque aussi reculée ? Cela vous mystifie.

À l'intérieur, vous cherchez des boutons, mais il n'y en a pas. Il ne peut donc être activé que par commande vocale. Ne connaissant rien du langage des créatures qui habitaient ce temple, vous entonnez tous les trois une chanson, en espérant qu'une note ou un certain timbre de voix mettra en marche le mécanisme.

Vous chantez comme ça, l'air complètement zinzin pendant presque une demi-heure avant que les deux portes ne daignent se fermer. OUAIS ! L'ascenseur descend ensuite plusieurs étages et ouvre ses portes à nouveau.

Deux hommes-poissons, bâtis comme des armoires à glace, pointent leur lance dans votre direction.

Chante un petit quelque chose et rends-toi ensuite au cha-pitre 79.

71

Malheureusement, il est verrouillé…

Jean-Christophe essaie de le forcer, mais c'est inutile. D'un geste de la main, il vous écarte. Ensuite, il lance violemment le coffre sur le plancher. Le petit coffre résiste… MAIS PAS LE PLANCHER ! CRAAAC !

L'eau s'engouffre par le trou, et l'épave coule très vite. La cale étant complètement submergée, vous nagez avec difficulté dans l'eau trouble entre les pièces de bois. Marjorie et Jean-Christophe réussissent à quitter l'épave par une écoutille. Tu essaies de les suivre, mais ta jambe s'entremêle de façon fortuite dans des cordages. Par réflexe, tu te mets à crier à tes amis, mais seulement des grosses bulles sortent de ta bouche.

Seul dans le ventre du navire, tu fais la guerre aux cordes de chanvre. Tes poumons commencent à manquer d'oxygène. De l'air emprisonné dans un coin te permet de respirer un peu. Tu prends quelques bouffées et tu replonges. À la surface, tes amis s'inquiètent. Ils reviennent près de toi et essaient de retirer ton pied du gros tas de nœuds. Une vague de fond fait tout à coup basculer l'épave. Le fond marin couvert de coraux bloque maintenant l'écoutille. Ce vieux navire deviendra, dans quelques secondes… UN TOMBEAU POUR TROIS !

FIN

72

La paroi de la caverne est un petit peu trop éloignée. Tu peux toucher la clé du bout des doigts, mais tu es incapable de mettre le grappin dessus. Jean-Christophe te passe une des flèches pour ajouter à ta portée.

Avec la précision d'un tireur d'élite, tu réussis du premier coup à la glisser dans le trou de la clé, qui se balance dangereusement sur la pointe de la flèche.

Maintenant, vas-tu être capable de ramener la clé vers toi, sans la faire tomber par terre ? Pour le savoir, ferme ton Passepeur, étend ton bras devant toi et pose ton livre DEBOUT dans ta main ouverte. ATTENTION ! Un geste brusque, et la clé tombe par terre, et c'est la catastrophe…

Si tu es capable de ramener le livre vers toi sans le faire tomber, tu es maintenant en possession de la clé. Ouvre la porte du cachot, et filez tous les trois jusqu'au chapitre 67.

Si, par contre, le livre tombe avant que tu aies pu réussir… MALHEUR ! La clé aussi est tombée sur le sol de la caverne. Va au chapitre 61, où les gorilles à tête de mouche s'amènent…

73

Plus loin, de l'autre côté de la rivière, des traces de pas d'animal, sans doute dangereux, vont dans toutes les directions. Ne songeant qu'au trésor, vous progressez tout de même, ignorant les menaces qui rôdent.

Le temps passe, et le soleil, qui trône au milieu du ciel bleu, finit par apparaître au fond de la faille où vous êtes. Il fait terriblement chaud. Des nuées de petits insectes volants tournent autour de vous, en quête d'une petite partie de votre peau. En marchant, tu reconnais un *yuccazy*. La sève de cette plante aux feuilles géantes éloigne les insectes. Vous brisez quelques branches et vous vous enduisez de la sève jaunâtre. Ensuite, avec quelques feuilles, vous vous fabriquez des chapeaux pour vous protéger de la chaleur. Ce n'est pas esthétique, mais c'est pratique…

Au moment où vous reprenez votre route, des pas rapides et nerveux se font soudain entendre, juste devant vous.

POUM ! POUM ! POUM ! POUM !

D'un signe de la main, tu stoppes net tes amis. De quelques mètres devant vous proviennent les bruits sinistres de prédateurs, cachés au pied d'un arbre immense, en train de dévorer leur proie…

Allez voir au chapitre 66.

74

Vous avancez vers le rebord du rocher pour évaluer la hauteur du précipice. Tu te penches vers l'abîme, mais ton pied déloge un fragment de pierre, et vous vous retrouvez tous les trois pendus à un rocher, pas très stable, il faut l'avouer.

Tes doigts glissent de la pierre l'un après l'autre. Lorsqu'il n'en reste qu'un seul, une multitude de petites mains peintes en bleu vous attrapent tous les trois et vous tirent hors du gouffre. OUF ! Pas tout à fait, car devant vous se dressent des Wygmées. Ces géants de trois mètres, qui portent des masques et de longues jupes de paille, ont les dents bien aiguisées, comme tout bon cannibale qui se respecte.

Pas question de vous laisser croquer sans au moins une bonne bagarre. Jean-Christophe fonce comme un taureau vers celui qui porte un ridicule chapeau de plumes. C'est le chef. Il réussit à le renverser, et le Wygmée tombe sur le derrière.

Vous découvrez derrière sa longue jupe de longues échasses de bambou. Ces Wygmées ne sont que de petits Pygmées juchés sur des échasses pour paraître encore plus menaçants auprès de leurs ennemis…

Allez au chapitre 33.

75

… UN GROS VER BLANC !

Il s'enroule à ton poignet et darde ses longues pinces vers ton visage. Affolé, tu tournes le bras aussi vite que l'hélice d'un hélicoptère. Le gros ver lâche ton poignet et tombe au pied de l'arbre où l'attend le crocodile, qui n'en fait qu'une bouchée. Les branches se mettent à frissonner, et d'autres bananes éclatent.

POUP ! POUP ! POUP !

Des dizaines de vers dégoûtants tombent et se tortillent sur le sol. En bas, le crocodile essaie de s'enfuir, mais les vers l'encerclent et lui sautent dessus. En seulement quelques secondes, ils l'ont tout dévoré. Les vers ne sont toujours pas rassasiés. Ils abandonnent le crocodile, qui n'est plus qu'un vulgaire tas d'os, et se mettent à grimper à l'arbre en quête de dessert…

Dans d'autres arbres, il y a des centaines de cabanes juchées sur les branches : un vrai village. Sauter d'un arbre à l'autre ? Impossible ! Il faudrait que vous réussissiez un bond prodigieux. Mais comment se déplaçaient les indigènes qui habitaient ce village suspendu ? En se balançant d'une liane à l'autre, bien sûr…

Il y a certainement une liane qui pend entre les branches et les troncs des arbres. Va voir au chapitre 84.

76

Agenouillés, tous les trois, vous essayez de trouver la clé. Il y a plein de signes étranges sculptés sur cette dalle, mais il n'y a pas l'ombre d'un quelconque objet ressemblant à une clé. Les lions sont juste derrière toi. Tu peux sentir leur haleine fétide qui souffle dans tes cheveux. Lentement, vous vous relevez. Ils sont seulement à quelques centimètres de vous. Tu récites tout bas une prière, car tu sais bien que de voir un lion d'aussi près est souvent synonyme de funérailles. Les deux gros félins retroussent leurs babines et pointent leurs crocs gluants vers vous.

En voulant se coller sur son frère, Marjorie pose le pied sur un bas-relief de la dalle représentant une tortue. Comme un bouton, en appuyant dessus, la tortue s'enfonce et actionne un mécanisme.

La dalle pivote, et vous tombez dans une grande pièce sombre. Le plancher recouvert de paille amortit votre chute. Un gros objet se déplace lentement vers vous… C'est une tortue géante carnivore.

Vous filez vous blottir dans le coin. La tortue fait demi-tour et se dirige encore vers vous. Vous changez de coin, elle change de direction. Vous aurez beau courir comme des lièvres, elle finira bien par vous attraper…

FIN

77

Un de ses conseillers s'approche et lui murmure quelque chose dans l'oreille. L'empereur sourit et fait ensuite tournoyer son sceptre au-dessus de sa tête.

« Sed sima ? Eunevneib snad nom emuayor ! », vous répond l'empereur des profondeurs.

Les gardes, postés à l'entrée, ouvrent toutes grandes les portes, et une procession de musiciens arrivent, en jouant de leurs instruments conçus avec de gros coquillages de toutes sortes. Cette fête est pour vous, chers visiteurs venus de très loin.

Une très belle sirène aux cheveux d'or suit les musiciens et chante une mélodie plutôt mélancolique. Sa voix est si perçante que Marjorie et Jean-Christophe se bouchent les oreilles avec leurs petits doigts.

Même si c'est intolérable, toi, tu écoutes attentivement, car sa chanson… PARLE DE TRÉSOR !

« Snad al ehcuob ed al engatnom ne emrof ed enârc es evuort nu dnarg rosért », chante la sirène.

As-tu réussi à décortiquer les paroles de sa chanson ? Si oui, tant mieux pour toi, car maintenant, tu sais où se trouve le fameux trésor…

Retournez au chapitre 4 choisir une autre voie.

78

« Attendez ! cries-tu à tes amis. Je crois que nous devrions en choisir une autre… »

Mais il est trop tard. Ils ont déjà plongé tous les deux dans l'eau. Tu regardes, horrifié, les grandes dents de requin qui entourent la porte, et constates que la porte est en fait une grande mâchoire. Il n'est pas question de les laisser se faire bouffer par un quelconque prédateur des mers. Tu plonges, toi aussi, pour les sortir de là.

SPLOOUUCH !

Tu nages et cherches autour de toi. Marjorie et Jean-Christophe sont tout au fond de l'eau et admirent la flore sous-marine et les milliers de petits poissons qui se déplacent, en troupe, en faisant les mêmes gestes gracieux et les mêmes mouvements.

Par des signes, tu essaies de leur expliquer qu'il faut retourner vers la porte. Soudain, les yeux de Marjorie s'écarquillent de frayeur, et un tas de bulles sortent de sa bouche, grande ouverte.

Les petits poissons s'enfuient, et derrière vous apparaît une longue silhouette bleue, silencieuse… À LA MÂCHOIRE PLEINE DE DENTS POINTUES !

FIN

79

Non, cette fois-ci, pas de chance ! L'ascenseur ne se remet pas en marche. Vous leur balbutiez quelques explications, mais bien entendu, ils ne comprennent pas un traître mot de ce que vous essayez de leur dire.

Sous la menace des armes effilées des hommes-poissons, vous êtes escortés jusqu'à une immense grotte souterraine. Là, assis tous les trois dans un très grand coquillage, vous êtes poussés à la dérive d'un grand lac et donnés en sacrifice à leur divinité... LE MONSTRE DU LAC !

Au centre du lac, de grands tourbillons apparaissent autour de votre embarcation, et la tête terrifiante d'un serpent de mer jaillit de l'eau. Ses yeux luisent comme des braises, et sa mâchoire gigantesque peut, d'une seule bouchée, faire des Téméraires de l'horreur… UN SOUVENIR !

Tu charges ton arc de ta plus grosse flèche et tu vises le monstre. Vas-tu réussir à l'atteindre ? Pour le savoir…

*… **TOURNE LES PAGES DU DESTIN** et vise bien.*

Si tu réussis à l'atteindre, allez au chapitre 98.
Par contre, si tu l'as raté, rendez-vous au chapitre 64.

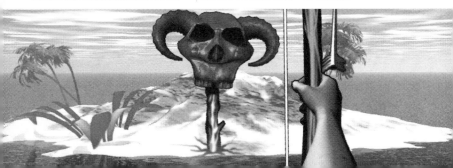

80

Le rhinocéros se met à brouter. Vous contournez un marais, sautez par-dessus de dangereux sables mouvants et déguerpissez en direction de la tour.

Après une heure de marche, elle apparaît enfin au-dessus de la cime des arbres. Au pied du grand coquillage, deux lions terrifiants gardent l'entrée. Vous n'avez jamais vu de lions aussi gros, même au zoo. Leur langue pend de leur grande bouche pleine d'incisives. Est-ce parce qu'ils ont chaud ou parce qu'ils ont faim ? Tu jettes un regard par-dessus ton épaule. Marjorie est terrifiée et elle se cache derrière ton dos.

« Il faut trouver une façon d'éloigner ces deux fauves, te dit Jean-Christophe.

— Oui, mais comment ? lui demandes-tu. On ne peut tout de même pas lancer un bout de bois dans la jungle pour qu'ils courent nous le rapporter.

— Presque ! » te répond ton ami.

Il ramasse une roche et la lance au loin. Alertés par le bruit, les lions se dressent sur leurs pattes velues. Jean-Christophe lance une autre roche encore plus loin, et les deux lions partent dans la jungle…

ET VOUS ? Eh bien, courez vite vers l'entrée de la grande tour au chapitre 25.

81

Toi, le Robinson Crusoé de Crânîle, tu as de la chance. Car en plus d'avoir réussi à lire correctement les signes sur la paroi, tu as, non pas un, mais deux Vendredi avec toi, Marjorie et Jean-Christophe, qui vont t'aider à trouver ce trésor…

Vous sortez de la grotte pour continuer à explorer la grande faille du rocher aux allures terrifiantes de crâne humain. Pendant une heure, vous marchez, guidés par l'écho de quelque chose comme une rivière d'eau fraîche et limpide.

Au centre de la bouche, derrière une rangée de haies chétives et desséchées, vous apparaît une rivière verdâtre crachée du sol par un petit volcan. Ce dégoûtant liquide semble provenir directement de l'estomac de la terre. De la lave verte ! Jamais vu ça.

Il vous est impossible de l'enjamber ou de sauter par-dessus, car elle est trop large. Et pas question non plus de mettre les pieds dans cette *dégueulasserie*…

Vous devez fabriquer un pont avec des gros bambous afin de vous rendre sur l'autre rive, au chapitre 73.

82

Vous sortez tous les trois de la galerie et constatez qu'il s'agit non pas de neige, mais bien de pétales blancs qui tombent des arbres en fleurs.

C'est tout simplement féerique et beaucoup plus beau que le jardin botanique de Sombreville. Mais cette beauté peut cacher d'autres graves dangers. Alors, avec un long bout de bambou flexible, une petite liane et quelques branches, vous confectionnez un arc et des flèches que vous avez pris soin de bien aiguiser sur une roche.

Vous consultez la carte de Crânîle. Nulle part il n'est fait mention de cette forêt aux si jolis arbres. VOUS VOUS ÊTES ENCORE PERDUS !

Marjorie monte sur les épaules de son frère pour voir au loin. Il n'y a que des arbres en fleurs, mais cependant, elle aperçoit juste à temps… un gros sanglier noir qui fonce vers vous ! Tu le mets en joue avec ton arc. Vas-tu réussir à l'atteindre ? Pour le savoir…

… TOURNE LES PAGES DU DESTIN et vise bien.

Si tu fais mouche, allez au chapitre 43.
Par contre, si tu l'as raté, allez au chapitre 90.

83

C'est un gnome abominable !

Il se lève d'un seul trait, ouvre une trappe dans le plancher et s'engouffre dans le tronc vide de l'arbre. Dehors, la tempête redouble d'ardeur. Vous vous tenez tous les trois. L'arbre penche dangereusement et se met à craquer.

CRAAAC !

Il est sur le point de s'effondrer ! Vous soulevez la trappe et descendez maladroitement l'échelle, à l'intérieur du tronc qui vous conduit des mètres sous terre. Vous entendez soudain un **BLAM !** terrible. C'est l'arbre qui vient de tomber sur le sol.

Ici-bas, il fait encore plus noir qu'en haut. Vous tâtonnez, à l'aveuglette, la paroi humide qui vous dirige vers une porte solide. Tu essaies de soulever le loquet. La porte va-t-elle s'ouvrir ? Pour le savoir…

… TOURNE LES PAGES DU DESTIN.

Si elle s'ouvre, allez au chapitre 18.
Si, par contre, la porte est solidement verrouillée, rendez-vous au chapitre 7.

84

Où se trouve cette liane qui te permettra de t'enfuir jusqu'à l'arbre voisin ? Observe bien cette image…

Si tu crois qu'elle se trouve à gauche de l'arbre, va au chapitre 37.

Si tu penses qu'elle se trouve plutôt à droite, rends-toi au chapitre 69.

85

Le navire de guerre tourne la barre et arrive droit vers vous. Tu enlèves tout de suite le poignard de ta bouche pour retourner dans votre futur, mais rien ne se produit. Tu le remets entre tes dents et l'enlèves à nouveau… TOUJOURS RIEN ! Tu examines le poignard, en cherchant à comprendre. Sur le manche est gravée une date… D'EXPIRATION !

« QUOI ! te mets-tu à crier. Ce poignard est… EXPIRÉ ! Ce n'est pas vrai ! Tout ceci n'est qu'un cauchemar, et je vais me réveiller… »

Marjorie est terrifiée. Elle se penche à tribord et observe le bateau anglais qui s'approche en faisant feu de tous ses canons.

BRAAAAOUOOOUM !

« OK ! ça suffit, dit-elle en se retournant vers toi. Je voudrais voir le G.O. de ce Club Med, c'est pour une plainte. »

Des centaines de gros boulets noirs déchirent les voiles, abattent les mâts et percent la coque du voilier pirate, qui coule. Assis tous les trois dans une vulgaire chaloupe de sauvetage, vous ramez comme des fous. Un tir précis, décoché par un canonnier anglais, envoie un boulet faire un gros trou en plein au centre de votre embarcation.

FIN

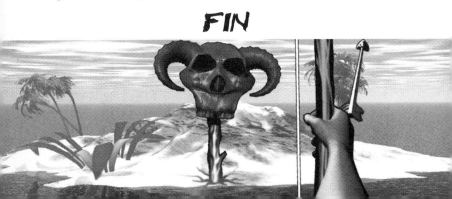

86

Une hyène tourne lentement la tête vers vous. Tu t'arrêtes et campes ton regard dans le sien. Elle émet un petit hurlement, et toutes les autres se retournent vers vous.

Vous vous précipitez en direction du temple, avec toute la meute d'hyènes à vos trousses. En courant comme vous n'avez jamais couru, vous parvenez, au prix d'efforts inouïs, à vous mettre à l'abri à l'intérieur du temple. Les hyènes font quelques tours autour des ruines et repartent dans la jungle. Tu t'essuies le front et tu reprends ton souffle.

Beaucoup de colonnes fissurées du temple se sont effondrées. La construction, vieille d'au moins 5 000 ans, porte partout des sculptures finement ciselées de coquillages et de poissons. Il y a aussi des traces d'algues séchées qui vous portent à croire que le temple était jadis… SUBMERGÉ !

Vous l'examinez attentivement, et découvrez qu'il a été effectivement érigé par des mains palmées de créatures qui vivaient… SOUS L'EAU !

Rendez-vous au chapitre 13.

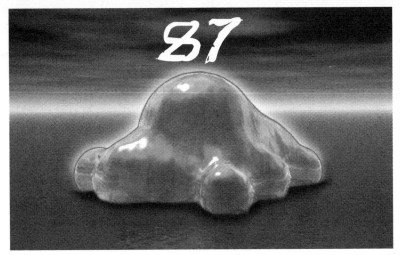

Vous examinez avec stupeur la grosse masse de glu qui dérive à la mer, sans doute à la recherche d'un autre bateau à couler.

« Jamais plus je ne participerai à ces stupides concours à la radio, se promet Marjorie. Si je n'avais pas gagné cette croisière, nous ne serions pas dans cette situation désespérée.

— Ce n'est pas de ta faute, essaies-tu de la réconforter. Et puis, nous ne sommes pas en si mauvaise posture que ça. Nous allons abandonner le navire avec les autres passagers, et dans quelques heures, un autre bateau va venir nous cueillir et nous prendre à son bord. »

Avec le capitaine, vous quittez la passerelle pour aller vers les deux dernières chaloupes de sauvetage, au chapitre 30.

88

La manivelle fait un demi-tour et fige dans la rouille. Vous vous mettez à trois pour essayer de la ramener dans l'autre sens, mais rien à faire… ELLE EST COINCÉE !

La mine déconfite, vous regardez le trésor en pensant à tout ce que vous auriez pu vous acheter. Résignés, vous remontez l'escalier en direction du sommet. À mi-chemin, vous vous accordez une pause, afin de reprendre votre souffle. Juste au-dessus de votre tête, vous remarquez qu'une corde poisseuse pend d'un trou assez grand pour vous y glisser.

Tu te hisses jusqu'à l'ouverture et tu sondes la noirceur. Rien en vue, mais il y a ce curieux bruit de machinerie.

BZZZZZZZZZZ ! Le bourdonnement se fait plus audible. Lorsque tu tends l'oreille, une abeille géante à tête humaine fait irruption du trou et se met à te survoler de tous les côtés.

« DU SANG ! PAR PITIÉ, DU SANG ! crie-t-elle entre ses mandibules. DU SANG ! »

Rends-toi au chapitre 56.

89

Les lions s'amènent !

Tu glisses la clé dans le trou de la serrure, et tu tournes. Une fois, deux fois, trois fois. Est-ce la bonne ? Oui, parce que cette tour est barrée à quadruple tour. Tu la tournes une dernière fois, et la porte s'ouvre enfin. Comme des fusées, vous foncez à l'intérieur et refermez derrière vous. Dehors, les deux lions rugissent.

GROOOOOUUUUU !

Dans le hall d'entrée, magnifiquement décoré de coraux de toutes sortes de couleurs, une petite silhouette encapuchonnée vous accueille et vous guide silencieusement vers l'escalier qui monte en colimaçon. Par curiosité, vous la suivez, en jetant des coups d'œil à l'extérieur par les ouvertures pratiquées dans le grand coquillage. Autour de l'île, c'est la mer à perte de vue.

Au sommet de la tour, un personnage à l'air sombre et cruel, coiffé d'une grosse tête de poisson séché, se dresse sur son trône, entouré de toute sa cour.

Allez au chapitre 19.

RATÉ !

Vous roulez tous les trois sur le côté pour éviter d'être réduits en bouillie par ses deux longs crocs recourbés. Le sanglier vous manque de très peu. Il poursuit un peu sa course et essaie de freiner lorsqu'il aperçoit l'entrée de la galerie. Trop tard ! Il tombe dans le trou.

Avec précaution, vous vous approchez de l'embouchure de la galerie. Le sanglier se met à grogner de rage. Il tourne en rond et frappe à répétition sur les parois de roche, avec sa tête aussi dure que du fer.

Vous souriez, car vous l'avez encore une fois échappé belle. Cette chance incroyable que vous avez, va-t-elle rester avec vous tout au long de votre périple ? C'est une question qu'il faudrait vous poser tout de suite, car le papa et la maman sangliers sont derrière vous, et ils respirent très fort par leurs deux naseaux…

FIN

91

La mâchoire vous tombe lorsque vous voyez ce monstre s'approcher de vous d'un pas lourd.

BRAOUUM ! BRAOUUM !

Comment faire rendre gorge à une créature de pierre ? Du haut de la muraille, les Pygmées vous jettent une épée faite de bois, une lance et un bouclier d'écorce. Vous sautez sur les armes, en sachant que, dans le fond, elles ne peuvent pas grand-chose contre ce gros lourdaud. Vous reculez jusqu'à la muraille en quête d'une cachette. Autour de vous, il n'y a que ce foutu trésor de malheur. C'est à cause de lui que tu te trouves dans une si mauvaise posture. Ta soif de richesse va probablement te coûter la vie...

D'un bond en arrière, tu évites de justesse le gros pied du monstre de pierre qui vient frapper le sol. Dans un élan de courage, tu serres les dents et tu martèles de coups la jambe de Grogro, en espérant que ton épée fera son œuvre. Mais, comme prévu, la simple lame de bois n'a aucun effet et s'effrite à chaque coup que tu portes. D'une simple chiquenaude, Grogro brise la lance que Jean-Christophe dardait vers lui. Il ne reste plus que le bouclier que tient fébrilement Marjorie devant elle. Vous vous cachez derrière, en espérant un miracle.

Faites vos prières avant d'aller au chapitre 53.

92

L'une après l'autre, tu fais glisser les plaquettes, mais tu ne réussis pas à former un carré. Du coffre jaillit soudain une étrange fumée. Effrayé, tu le laisses tomber, BLAM !

La fumée tournoie comme une mini-tornade et t'entoure. Tes pieds quittent le plancher. Tu essaies de t'ancrer à une des poutres du navire, mais ta main rencontre le vide, et tu te mets à tourner sur toi-même. Des picotements douloureux traversent ton corps, et la tornade te transforme… EN PERROQUET !

Marjorie et Jean-Christophe sont éberlués. Tu t'envoles dans l'entrepont et reviens te percher sur le coffre pour faire une nouvelle tentative. Avec ton gros bec recourbé, tu fais glisser les quatre plaquettes, mais encore là, sans arriver à former ce foutu carré…

Le même manège se produit, sauf que cette fois-ci, tu es métamorphosé en requin marteau. Pas de bras, pas de bec, tu ne peux plus jouer avec ce coffre maudit et essayer de retrouver ta forme humaine. Ta grande bouche ouverte à la recherche d'eau, tu agonises. Pour que tu puisses demeurer en vie, tes amis n'ont d'autre choix que de te jeter à la mer, par une écoutille.

FIN

93

Avant même que vous ayez le temps de plonger, trois longs tentacules gluants vous saisissent et vous tirent vers la troisième porte. Tu réussis, dans un ultime effort, à t'agripper au sol. Le puissant tentacule serre très fort ta cheville. Tu essaies de résister, mais c'est peine perdue; la pieuvre t'entraîne inexorablement vers l'eau.

Derrière vous, la porte projette des rayons aveuglants, et puis se ferme. Sous l'eau, vous combattez désespérément. Tu réussis à te défaire de l'emprise du tentacule qui te tenait la jambe, mais malheureusement, un autre colle ses dégoûtantes ventouses autour de ton bras. Dans tes poumons, l'air commence sérieusement à manquer. Tu tires de toutes tes forces et réussis, encore une fois, à te dégager. Un troisième s'enroule à ton cou. Ça ne finira donc jamais !

Vous allez faire tout votre possible pour vous sortir de là. Mais le hic dans cette histoire, c'est que la pieuvre possède huit tentacules et vous, vous n'êtes que trois.

NON ! Ce n'est vraiment pas juste…

FIN

94

À l'autre bout de l'entrepont, il y a l'escalier qui descend à la cale du navire. Pour vous y rendre, vous devrez marcher sur le plancher craquelé qui menace de se briser à tout instant. Si une seule planche se brise, il y a de fortes chances que toute la carcasse fragile du navire s'abatte sur vous…

Examine bien cette image. Pour vous rendre à l'escalier, allez-vous marcher sur les planches 1, 2, 4, 5, 7 et 8 ? Si oui, allez au chapitre 23.

Vous voulez plutôt poser les pieds sur cette autre combinaison de planches : 1, 2, 3, 5, 6 et 8 ? Allez, dans ce cas, au chapitre 102.

95

En sécurité parmi les palmiers qui vous protègent, vous apercevez le rhinocéros qui regarde de tous les côtés et qui, finalement, s'éloigne en poussant un long grognement de défaite. Maintenant, il faut retrouver votre route. Mais comment faire ? Vous avez couru dans tous les sens et vous ne savez pas où vous vous trouvez. Vous consultez la carte. Malheureusement, elle ne fait pas mention de cette forêt aux palmiers très rapprochés. Tu lèves la tête et aperçois, au loin, la tour en coquillages blancs, qui pointe au-dessus de la cime des palmiers. Vous avancez, et, au milieu d'une clairière, la tour s'élève très haut dans le ciel comme un gratte-ciel de New York. Qui peut bien habiter cette curieuse habitation ?

Vous frappez à la porte une fois, deux fois… Pas de réponse ! Marjorie ose tourner la poignée faite avec un nautile.

« Holà ! Il y a quelqu'un ? » demande-t-elle, en ouvrant la porte.

Personne ne répond, sauf l'écho de sa voix. Le hall majestueux du grand coquillage est entièrement décoré de trucs provenant de la mer. Des coquilles de palourde, des oursins figés et secs et même des mâchoires de grand requin blanc.

Allez au chapitre 16.

96

Vous cherchez du regard la provenance de ce bruit. Vous ne remarquez cependant rien qui pourrait être un danger imminent pour vous.

Vous gravissez les quatre marches du temple pour vous retrouver à l'intérieur. Ce temple devait autrefois être d'une splendeur à couper le souffle. Maintenant, il n'est plus qu'un tas de débris, qui ne pourrait intéresser que les archéologues, captivés par l'histoire d'Atlantis, la cité engloutie.

En plein centre, sur une dalle de marbre zébré de rainures vertes, il y a de curieux petits signes sculptés. Vous ne comprenez pas cette langue, mais vous pouvez tout de même conclure que certains de ces signes étranges… PARLENT DE RICHESSE !

Au prix d'un effort colossal, vous parvenez à soulever la lourde dalle portant les inscriptions. En dessous, pas de trésor ! Mais vous êtes tout stupéfaits de voir une très belle jeune fille blonde aux doigts palmés… QUI DORT !

Allez tout de suite au chapitre 28.

97

Vous faites le tour trois fois sans trouver de porte. Par terre, taillées dans le marbre, il y a des marques de pieds… PALMÉS !

Tu mets les deux pieds dans les cavités, et deux portes coulissantes s'ouvrent, **SHHHHH** ! Vous sautez juste à temps à l'intérieur, car les deux statues arrivaient. Autour de vous, vous sentez que ça bouge. Ce petit bâtiment est en fait une cage d'ascenseur qui vous amène à des centaines de mètres sous terre. L'ascenseur s'arrête, d'une manière très abrupte, **CHLONC** !

Un mince filet d'eau s'infiltre par le point de jonction des deux portes. VOUS ÊTES SOUS L'EAU !

Vous prenez une très grande inspiration, et les portes s'ouvrent, **SHHHH** ! L'eau salée pénètre dans l'ascenseur par grandes vagues. Devant vous, c'est le fond de l'océan avec ses coraux, ses algues… ET SES REQUINS-SCIE !

Vous nagez comme des fous en direction de la surface, pour éviter d'être coupés en deux par ces menuisiers des profondeurs. Tu sors la tête de l'eau, et qu'est-ce que tu aperçois…

… LE CHAPITRE 4 !

98

Ta flèche transperce les écailles du serpent, qui se désintègre en milliers… DE PIXELS !

Apparaissent soudain devant tes yeux de grosses lettres jaunes t'annonçant que tu as gagné la partie.

« QU'EST-CE QUI SE PASSE ? » Le technicien t'enlève le casque qui recouvrait complètement ta tête.

« YAHOUUU ! Ce jeu virtuel en 3D est tout simplement sensationnel ! dis-tu à tes amis qui enlèvent, eux aussi, leur casque. QUELLE AVENTURE !

— C'est tellement réel qu'on se croirait sur Crânîle ! commente Marjorie.

— On refait une autre partie ? » suggère en souriant Jean-Christophe.

Plonge la main dans ta poche.

Si tu as de l'argent dans tes poches, tu peux poursuivre ton aventure au chapitre 4 et essayer d'atteindre… LA VRAIE FINALE DU LIVRE !

Si, par contre, tu n'as pas un rond, DOMMAGE ! Pour toi, c'est la…

FIN

99

Les quatre plaquettes forment un carré parfait, et le petit coffre s'ouvre. À l'intérieur, tu es tout déçu de constater qu'il n'y a aucune pièce d'or, et seulement un vulgaire poignard. Question de rigoler, tu le places entre tes dents comme faisaient les pirates de l'époque. Soudain, comme par magie, des tricornes de pirate apparaissent sur vos têtes, et tout se met à changer autour de vous.

Qu'est-ce qui se passe ? L'entrepont du navire, qui était tout en désordre, ne l'est plus. Les toiles d'araignées ont disparu, et les canons qui étaient tout rouillés brillent comme des sous neufs. Tu enlèves le poignard de ta bouche, et l'entrepont redevient dans l'état délabré qu'il était. Tu le remets entre tes dents, et tout devient impeccablement propre. C'est à n'y rien comprendre...

Vous montez sur le pont et constatez que vous êtes loin des côtes et que le navire vogue sur la mer. Ce poignard enchanté est comme une machine à voyager dans le temps. Lorsque tu le mets entre tes dents, il vous transporte à l'époque où ce grand voilier sillonnait les mers et pillait les navires marchands.

Tous les pirates te saluent, car tu es... LE CAPITAINE KIDD !

Allez au chapitre 60.

100

« C'est beaucoup trop dangereux par ici, en conclut Marjorie. Peut-être devrions-nous fabriquer un radeau et quitter cette île maudite avant qu'un savant débile ne joue avec nous comme avec un vulgaire jeu de construction pour enfant. Tu peux me croire, si nous rentrons à la maison, chacun avec une tête de maringouin, maman et papa ne seront pas contents, dit-elle à son frère Jean-Christophe. Nous serons en punition pour l'éternité, et l'éternité… C'EST LONG !

— Et le trésor, lui ? On l'oublie ? lui demande-t-il, en lui montrant la carte.

— Il n'y a rien qui prouve qu'il y a un trésor sur cette carte, réplique-t-elle. Tu ne fais que supposer qu'il y en a un.

— Tu crois que cette carte a été dessinée pour les touristes ? essaie-t-il de lui faire comprendre. Une vieille carte d'une île perdue comme celle-ci, pour moi, ça veut clairement dire : trésor enfoui pas très loin. »

Jean-Christophe examine ensuite la carte et pointe un sentier emprunté par des animaux sauvages. Il conduit à la bouche du grand rocher en forme de crâne...

... au chapitre 26.

IOI

Lentement, tu ouvres le petit coffre. À l'intérieur, il y a un vieux papier jauni plié en six. Marjorie le déplie délicatement.

« Qu'est-ce que ça veut dire ? demandes-tu à tes amis. Il n'y a qu'un X sur ce papier.

— C'EST LE X QUI MANQUE SUR LA CARTE ! » hurle de joie Marjorie.

Toi et Jean-Christophe, vous examinez le papier et sortez ensuite la carte de Crânîle. Ça ne peut pas être autre chose puisque les deux sont de la même dimension. Vous posez le papier sur la carte et vous les soulevez vers le soleil. Comme par enchantement, le X se place sur la carte.

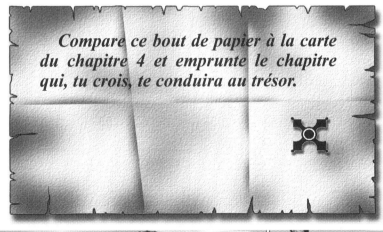

Compare ce bout de papier à la carte du chapitre 4 et emprunte le chapitre qui, tu crois, te conduira au trésor.

102

Marjorie et Jean-Christophe retiennent leur respiration. Toi, tu croises les doigts et poses les pieds doucement sur la première planche. Elle grince, **CRRRRR !** mais ne brise pas. Tu lèves l'autre jambe et tu la déposes sur la deuxième. Merveilleux, elle aussi est assez solide pour soutenir ton poids.

Tes amis t'imitent en posant les pieds exactement au même endroit. Comme si vous étiez dans un champ de mines explosives, vous progressez vers l'escalier. Juste à deux mètres du but, une planche **CRAAAAQUE**, et ta jambe s'engouffre dans le trou jusqu'à ton genou. Tes amis veulent intervenir, mais toutes les planches qui se trouvent autour de vous cèdent, **CRAAC ! CRAAAC ! CRAAAAAAC !**

Ensuite, dans un grand fracas, **BRAOOOUUUM !** une partie du plancher s'affaisse sur le pont d'en dessous, puis sur l'autre, jusqu'à ce que vous vous retrouviez dans la cale encombrée du navire.

Assis, vous faites le mort quelques secondes, pour éviter de casser autre chose. Autour de vous, quelques boulets de canon roulent à tribord et à bâbord et suivent le rythme de la mer qui fait toujours tanguer le bateau.

Tourne doucement les pages de ton livre Passepeur jusqu'au chapitre 107.

103

QUELLE CHANCE ! Les marins anglais ne vous ont pas vus, et le grand navire poursuit sa route.

Les vents vous sont favorables, et trois heures plus tard, le bateau-pirate jette l'ancre tout près de la côte de Crânîle. Un gros coffre, rempli de doublons d'or et de pierres précieuses volées sur un galion espagnol, est débarqué par les pirates sur le rivage. Avec tout l'équipage, vous traversez la jungle jusqu'à la bouche du grand rocher en forme de tête de mort. C'est là que le coffre va être enterré dans le sable. Un des pirates saisit le manche de ton poignard pour marquer d'un gros X l'écorce d'un palmier. Tu voudrais hurler, NON ! mais le poignard a déjà quitté ta bouche, et vous revenez tous les trois dans votre bon futur, à l'entrepont de l'épave. Jean-Christophe te sourit, et avec raison, car vous savez maintenant où se cache le trésor.

Au moment où vous arrivez sur le pont de l'épave, une tête sans corps, suspendue au grand mât par ses longs cheveux, vous fait sursauter. Sans doute un pirate décapité pour ses crimes. Lorsque tu essaies de la contourner… SES YEUX S'OUVRENT !

Crie très fort : « OOOOOOOUAAH ! » et va ensuite au chapitre 27.

104

Vous sautez de joie en l'apercevant.

« LA MARINE VIENT POUR NOUS SAUVER ! » hurles-tu, en gesticulant des bras.

Mais votre bonheur est de courte durée, car vous apercevez un super gros trou dans la coque. C'est un vieux sous-marin tout rouillé qui a coulé lors de la Deuxième Guerre. Le tas de ferraille continue d'avancer en raclant le fond marin, attiré par la météorite magnétique, **CRRRRRRR !** Lentement, il va se coller sur elle.

BLAM !

Le périscope se met tout à coup à tourner. Il scrute lentement le rivage de Crânîle… ET S'ARRÊTE SUR VOUS !

Des écoutilles s'ouvrent ensuite, et les visages hagards des fantômes de sous-mariniers allemands apparaissent. Tout l'équipage de revenants se lance à votre poursuite. Vont-ils réussir à vous attraper ? Pour le savoir…

… TOURNE LES PAGES DU DESTIN.

Si ces répugnants fantômes agrippent ton chandail et t'attrapent, rends-toi au chapitre 35.

Si, par contre, vous réussissez à vous enfuir, courez jusqu'au chapitre 8.

105

Derrière toi, le sabre revient. Tu gravis, deux à la fois, les marches de l'escalier jusqu'à l'entrepont. Le sabre suit ta trace comme un missile autoguidé. Tu zigzagues entre les canons pour essayer de le semer, mais rien à faire, il te poursuit toujours. Tu t'arrêtes net et tu attrapes la première chose qui te tombe dans les mains pour t'en servir comme bouclier. C'EST UN PETIT COFFRE !

Ce n'est vraiment pas le temps de te réjouir de ta trouvaille. PROTÈGE-TOI ! Lève les bras et place le coffre devant toi.

Vas-tu réussir à parer la deuxième attaque du sabre ? Pour le savoir, ferme ton livre, place-le devant toi, comme s'il s'agissait du coffre... ET NE BOUGE PLUS !

Si tu as devant les yeux l'image de Crânîle, tu as réussi à te protéger du sabre qui vient de se planter dans le coffre. Va au chapitre 54.

Mais si par contre, tu as devant toi le résumé du livre, MALHEUR ! Le sabre a réussi à contourner le coffre pour venir se placer... JUSTE SOUS TON MENTON ! Au chapitre 68.

106

Marjorie te tape sur l'épaule, passe son bras entre deux barreaux pour pointer du doigt les deux grosses clés, accrochées à la paroi de la caverne. C'est certain que l'une d'elles va vous sortir d'ici, mais laquelle ?

Tu examines la forme du trou de la serrure…

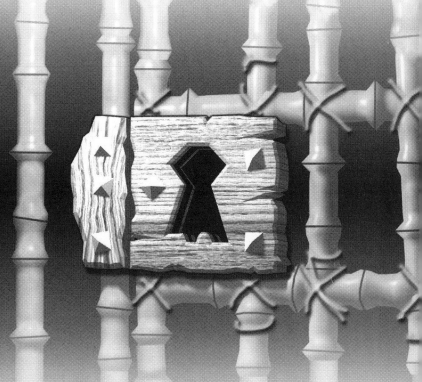

… et tu la compares à la forme des deux clés du chapitre 34.

107

Parmi les barils de poudre, de rhum et les sacs de provisions périmées depuis très longtemps, il y a un grand coffre recouvert d'un drapeau noir. C'est un pavillon de pirates. Il représente un démon qui transperce un cœur rouge avec un sabre. Autrefois, ces vieux bouts de tissu étaient destinés à effrayer les marins ennemis. Aujourd'hui, ils continuent encore à inspirer la peur, et ce, même après des siècles.

À trois, vous ouvrez le coffre et découvrez à l'intérieur un passage qui conduit à une cabine cachée. Autour d'une table, quatre squelettes immobiles portent des chapeaux tricornes et trinquent ensemble. Son navire en perdition, le capitaine pirate s'est réfugié dans cet abri avec son état-major jusqu'à ce que la mort arrive. Vous vous approchez. Attachée à la ceinture de tissu usé du capitaine pirate pend une petite bourse de cuir sur laquelle tu devines les contours de doublons d'or. Lorsque tu tires sur elle, le bras du pirate portant un couteau se rabat et coupe une corde de chanvre qui elle, actionne un levier, qui dégage un boulet qui lui, frappe et brise un vase de porcelaine rempli d'eau qui se déverse dans une coupe qui, une fois remplie, s'enfonce dans la table et actionne des petits canons qui font feu sur vous…

FIN

« Et le trésor ? demande Marjorie. Tout cet or et cette argenterie ?

— DU TOC ! lui montre le producteur. Tout est en vulgaire plastique. Les pièces de monnaie, elles, par contre, contiennent du chocolat. Tu en veux ? » lui demande le producteur en lui offrant un coffre plein…

C'est difficile à croire. Marjorie saisit une pièce et l'ouvre. À l'intérieur, il y a bien du chocolat. Vous vous regardez tous les trois, encore sous l'effet de la surprise.

Le marionnettiste appuie sur quelques boutons de sa console et fait avancer le grand robot Grogro vers Marjorie.

« Alors Marjorie, lui demande le monstre mécanique en présentant à nouveau son micro, tu vas dire à tous nos auditeurs qui nous écoutent, en direct, QUELLE EST TA STATION DE RAAADIO FAAAVORITE ? »

Marjorie pense à ce trésor perdu et à toute cette supercherie quelques secondes, puis répond :

« JEPJR ! Parce que, voyez-vous, **J**e n'**É**couterai **P**lus **J**amais la **R**adio… »

FÉLICITATIONS !
Tu as réussi à terminer…
Naufragés sur Crânîle.

LES HISTOIRES DE PEUR,
ÇA T'EMPÊCHE DE DORMIR ?

Prends ça cool et
bidonne-toi un peu avec
les pages à...

MOURIR DE RIRE

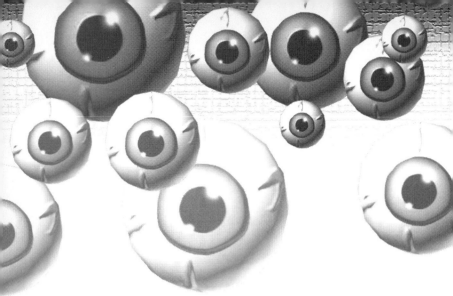

Une mutante à 32 yeux dit à son ami, lui aussi un mutant à 32 yeux :

« Pourquoi as-tu été si long à te préparer ? Nous allons être en retard pour le début du film.

— J'ai perdu mes lunettes et j'ai dû mettre mes verres de contact. »

Un zombie raconte à un autre :

« Mes dernières vacances avec ma blonde ont vraiment été fantastiques. Nous nous sommes beaucoup amusés sur la plage. Elle m'a enterré dans le sable, je l'ai enterrée à son tour. J'y retourne l'été prochain pour la déterrer. »

Dans le musée abandonné de la ville, c'est soir de vernissage, car une araignée artiste… EXPOSE SES TOILES…

Les grands titres de plusieurs journaux affichaient une mise en garde plutôt bizarre ce matin : ATTENTION ! Un extraterrestre rose prénommé Momo, ayant huit bras, mesurant 1 mètre et sentant les œufs pourris a été aperçu près d'un boisé au nord de la ville. Si jamais vous arrivez face à face avec lui, ÉVITEZ DE RIRE !

Un petit loup-garou assis sur les genoux d'un père Noël loup-garou :

« Et toi, demande le père Noël loup-garou, qu'est-ce que tu désirerais recevoir pour Noël ?

— Un petit chaperon rouge ! » répond le jeune loup-garou.

Une sorcière entre chez un dermatologue.

« Docteur, implore la sorcière, il faut que vous me débarrassiez de cette verrue qui trône sur le bout de mon nez, si je veux un jour espérer me trouver un petit copain.

— Voilà madame, dit le médecin, en lui remettant un petit tube. Mettez-en deux fois par jour. C'est une crème à base de fleurs.

— À BASE DE FLEURS ! répète la sorcière. POUAH ! » fait-elle, dégoûtée…

Un squelette très malade arrive chez un médecin :
« Docteur, supplie le squelette, la mine pâle. Faites quelque chose, j'ai un de ces maux de ventre !
— Levez-vous, demande le doc, que je voie ce que vous avez mangé ! »

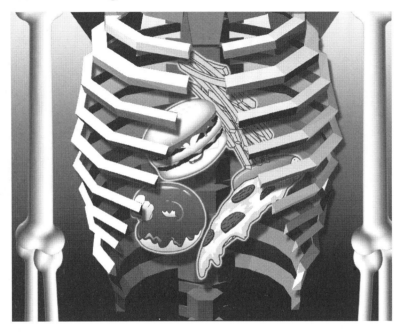

Bigfoot n'est plus une légende. En effet, Bigfoot, le monstre hyper poilu mesurant plus de trois mètres, a été retrouvé par une jeune fille de huit ans aujourd'hui, qui l'a ramené chez elle. Interviewée par les journalistes, elle a ensuite demandé à ses parents :
« J'peux le garder ? »

Arrivent sur une plage deux vampires :

« T'as rien oublié, j'espère ? demande le premier.

— Oups ! Oui ! fait le second vampire. LA CRÈME SOLAIRE… »

PSSSSSSSSSSSSSSSS !

Le monstre du Loch Ness, la tête hors de l'eau, dit à sa femme :

« CHÉRIE ! s'écrie-t-il. Vite, regarde, il y a un homme qui marche sur le bord du lac.

— Où ça ? Où ça ? fait-elle, en tournant la tête de tous les côtés.

— Trop tard ! répond le monstre. Il est parti… »

Pendant un voyage à Paris, un homme invisible arrive au pied de la tour Eiffel avec sa femme et ses enfants.

« Collez-vous l'un contre l'autre, leur demande-t-il, nous allons faire une photo… »

Le monstre de Frankenstein entre dans un *fast-food*. Il s'immobilise devant une caissière, figée par la peur, et demande avec sa grosse voix :

« Je voudrais avoir un hamburger avec un hamburger et un autre hamburger. »

Blanche comme un drap, la jeune caissière lui demande :

« Un hamburger avec cela ? »

Une bande d'asticots qui déambulaient dans un cimetière rencontrent un rat grassouillet.

« Tu connais un bon restaurant italien, toi ? demande un des asticots au rat.

— Troisième tombe à droite », répond le rat.

Un petit gnome revient de l'école, en pleurnichant à sa mère.

« Maman ! maman ! se plaint-il. Les autres enfants se moquent de moi. Ils disent que j'ai un gros nez.

— Mais c'est complètement faux, essaie de le réconforter sa mère. Va prendre ton drap et mouche-toi, là. »

Une momie, invitée plus tard à une grande soirée, arrive au comptoir d'une pharmacie avec trois caisses de sparadraps. La caissière, confuse, lui demande :

« Vous achetez tout cela, monsieur ?

— Oui, mais avant, demande la momie, vous avez une salle d'essayage ? »

Deux chauves-souris, accrochées à une branche, discutent, tête en bas.

« Et puis toi, ça va ? demande la première.

— Ah non, avoue la seconde. Depuis que mon mari m'a quittée, j'suis toute à l'endroit… »

N°15 NAUFRAGÉS SUR CRÂNÎLE

LA CHASSE AU TRÉSOR EST COMMENCÉE ! Mais attention ! Sur l'île la plus dangereuse du monde, évite les pièges et les embûches si tu veux un jour repartir avec ce fabuleux trésor sans y perdre… LA TÊTE !

UN LIVRE PALPITANT QUI SE JOUE À LA FAÇON D'UN JEU VIDÉO…

Oui, ce livre n'est pas qu'un simple livre… C'EST TON AVENTURE ! Et dans ton aventure, c'est toi qui décides du déroulement de l'histoire. ATTENTION ! Ce livre contient aussi un jeu original qui pourrait transformer ton histoire en vrai cauchemar… LE JEU DES PAGES DU DESTIN !

Il y a 23 façons de finir cette aventure, mais seulement un fin te permet de vraiment terminer… *Naufragés sur Crânîle.*

LIRA BIEN QUI LIRA LE DERNIER…

Boomerang Éditeur jeunesse

www.boomerangjeunesse.com
info@boomerangjeunesse.com

VOTRE PASSEPEUR

POUR UN HORRIBLE CAUCHEMAR

SUPPRIMER
OUI

UN LIVRE QUI SE JOUE AVEC LES PAGES DU DESTIN

NO 18 L'ORDINAPEUR

POUR UN HORRIBLE CAUCHEMAR

L'ORDINAPEUR

Texte et illustrations
de
Richard Petit

Boomerang
Éditeur jeunesse

TOI !

Tu fais maintenant partie de la bande des
TÉMÉRAIRES DE L'HORREUR.

OUI ! Et c'est toi qui as le rôle principal dans ce livre où tu auras bien plus à faire que de tout simplement... LIRE. En effet, tu devras déterminer toi-même le dénouement de l'histoire en choisissant les numéros des chapitres suggérés afin, peut-être, d'éviter de basculer dans des pièges terribles ou de rencontrer des monstres horrifiants.

Aussi, au cours de ton aventure, lorsque tu feras face à certains dangers, tu auras à jouer au jeu des **PAGES DU DESTIN...** Par exemple, si dans ton aventure tu es poursuivi par une espèce de monstre dangereux et qu'il t'est demandé de TOURNER LES PAGES DU DESTIN afin de savoir si ce monstre va t'attraper, la première chose que tu dois tout de suite faire, c'est placer ton doigt tout tremblotant ou un signet à la page où tu es rendu pour ne pas perdre ta page, car tu auras à y revenir. Ensuite, SANS REGARDER, tu fais glisser ton pouce sur le côté de ton Passepeur en faisant tourner les feuilles rapidement pour finalement t'arrêter AU HASARD sur l'une d'elles.

Maintenant, regarde au bas de la page de droite. Il y a trois pictogrammes. Pour savoir si le monstre t'a attrapé, il n'y en a que deux qui te concernent,

celui de l'espadrille et celui de la main.

Pour le moment, tu ne t'occupes pas des autres. Ils te serviront dans d'autres situations. Je t'explique tout un peu plus loin.

Comme tu as peut-être remarqué, sur une page il y a une espadrille, et sur la suivante, il y a une main et ainsi de suite, jusqu'à la fin du livre. Si, par chance, en tournant les pages du destin, tu t'arrêtes au hasard sur le pictogramme de l'espadrille, eh bien bravo ! tu as réussi à t'enfuir. Là, retourne au chapitre où tu étais rendu. Il t'indiquera le numéro de l'autre chapitre où tu dois aller pour fuir le monstre. Si tu es le moindrement malchanceux et que tu t'arrêtes sur le pictogramme de la main, eh bien, le monstre t'a attrapé. Là encore, tu reviens au chapitre où tu étais, mais tu auras par contre à te rendre au chapitre indiqué où tu tomberas entre les griffes du monstre.

Lorsqu'on te demandera de TOURNER LES PAGES DU DESTIN, tu n'utiliseras, selon le cas, que les DEUX pictogrammes qui concernent l'événement. Voici les autres pictogrammes et leur signification...

Pour déterminer si une porte est verrouillée ou non :

 si tu tombes sur ce pictogramme-ci, cela signifie qu'elle est verrouillée ;

 si tu t'arrêtes sur celui-ci, cela signifie qu'elle est déverrouillée.

S'il y a un monstre qui regarde dans ta direction :

 ce pictogramme veut dire qu'il t'a vu ;

 celui-ci veut dire qu'il ne t'a pas vu.

En plus, pour te débarrasser des monstres que vous allez rencontrer tout au long de cette aventure, tu pourras uti- 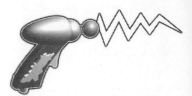 liser un super cool désintégrateur. Cependant, pour atteindre les monstres qui t'attaquent avec cette arme, tu auras à faire preuve d'une grande adresse au jeu des pages du destin. Comment ? C'est simple : regarde dans le bas des pages de gauche ; il y a un petit monstre, ton désintégrateur et la foudre lancée par ton pistolet.

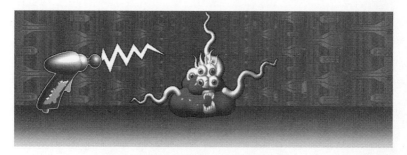

Le petit monstre représente toutes les créatures que tu vas rencontrer au cours de ton aventure. Plus tu t'approches du centre du livre et plus la foudre se rapproche du monstre. Lorsque justement, dans ton aventure, tu fais face à une créature dangereuse et qu'il t'est demandé d'essayer de l'atteindre avec ton désintégrateur pour l'éliminer, il te suffit de tourner rapidement les pages de ton Passepeur en essayant de t'arrêter juste au milieu du livre. Si tu réussis à t'arrêter sur une des cinq pages centrales du livre portant cette image,

eh bien, bravo ! Tu as visé juste et tu as réussi à atteindre de plein fouet la créature qui te cherchait querelle et de ce fait à t'en débarrasser. Tu n'as plus qu'à suivre les instructions au chapitre où tu étais selon que tu l'aies touchée ou non.

Ta terrifiante aventure débute au chapitre 1. Et n'oublie pas : une seule finale te permet de terminer... *L'ordinapeur.*

1

IL EST MINUIT PILE ! Dans ta chambre, toutes les lumières sont éteintes pour ne pas alerter tes parents. Surtout ta mère, elle a l'ouïe très fine et ferait une de ces colères si elle te voyait encore debout, à cette heure si tardive.

Qu'est-ce qui peut bien te tenir éveillé ? Un film d'horreur avec des scènes épouvantablement sanglantes hante ton sommeil ? NON ! C'est ton nouvel ordi...

L'étrange colporteur au teint blafard vêtu d'un long manteau noir a promis à ton père que cet ordinateur était capable de performances extraordinaires, et il avait raison. C'EST UNE VRAIE FORMULE UN !

C'est plus fort que toi, tu ne peux t'empêcher de pianoter sur le clavier et de cliquer sur la souris. Souris, il faut le dire vite ! Elle ressemble plutôt à un gros rat, et lorsque tu appuies sur le bouton, elle émet un lugubre *CLIRC !* *CLIRC !* En fait, c'est tout l'ordi qui a un look étrange. Son boîtier n'est pas fait de plastique, on dirait presque de la peau. Même les cordons d'alimentation sont bizarres. Ils ressemblent à des viscères d'animal. C'est peut-être idiot, mais tu penses que cet ordinateur... EST EN VIE !

Gratte-toi la tête et rends-toi au chapitre 5.

Ta commode ressemble maintenant à Cerbère, le chien à trois têtes qui garde les portes de l'enfer. Tu t'approches lentement d'elle, désintégrateur en main. Les trois têtes grognent et te montrent leurs dents.

Tu comprends que cette bête, quelle qu'elle soit, n'a qu'un objectif : empêcher quiconque de débrancher l'ordinateur – protéger l'alimentation coûte que coûte. Comment la détruire sans bousiller tes beaux vêtements ?

Autour de toi, tout continue de changer. Si tu attends encore longtemps, tu ne pourras plus rien faire. Tu pointes ton désintégrateur en direction du monstre qu'est devenue ta commode. Le monstre a flairé le danger et bondit vers toi. TU APPUIES SUR LA GÂCHETTE !

Vas-tu réussir à l'atteindre ? Pour le savoir…

TOURNE LES PAGES DU DESTIN…

Si tu réussis à l'atteindre de plein fouet, rends-toi au chapitre 47.
Si tu l'as raté, va alors au chapitre 50.

3

La foudre de ton désintégrateur a raté sa cible, mais a créé une brèche dans les parois de la grotte. Vous vous jetez dans cette porte de sortie inespérée pour fuir.

Derrière vous, le monstre bicéphale court en hurlant et en grognant. Marjorie trébuche sur un enchevêtrement de gros câbles transparents et lumineux. Vous l'aidez à se relever. Il y a plein de ces drôles de câbles partout. À l'intérieur de chacun, il y a des centaines d'insectes qui flottent dans le liquide en mouvement. Tu regardes attentivement et te ravises. Ce sont non pas des insectes, mais plutôt des puces électroniques et des transistors vivants… OUI ! VIVANTS…

Tout cela est très intéressant, mais tu as oublié le monstre… QUI EST JUSTE DERRIÈRE TOI ! Un long tentacule pourvu d'une énorme ventouse sort de sa bouche et arrive vers toi comme la langue gluante d'un caméléon. Tu te jettes par terre et évites de justesse son appendice dégoûtant. Dans un **GLOURB !** des plus répugnants, il ravale son tentacule et vise maintenant Marjorie, qui se retourne rapidement.

La ventouse du tentacule va se planter sur le sac à dos de ton amie au chapitre 55.

4

PASSE VITE À L'ACTION !
Rends-toi au chapitre
que tu auras choisi.

Il est trois heures quinze du mat. Il serait peut-être temps que tu ailles te coucher. Tu essaies de te lever, mais rien à faire, t'es comme collé à l'écran de l'ordi qui projette ses couleurs sur ton visage. Tu te dis que ce n'est qu'une impression et que tu es resté trop longtemps assis. Tu secoues la tête et tu fais une autre tentative. Rien à faire... QUELQUE CHOSE TE RETIENT !

ES-TU HYPNOTISÉ ? Non, car tu peux un peu bouger. Tu te penches sur le côté et tu remarques que le cordon d'alimentation s'est enroulé autour de tes pieds comme les tentacules gluants d'un monstre abominable. Tu essaies de te dégager, mais t'es même pas capable de te déplacer d'un centimètre. Tu craignais que cet ordi soit maléfique, et tu avais raison. Qu'est-ce que tu vas faire ? Crier à ton père ? JAMAIS ! À cette heure-ci, tu te ferais infliger une punition mémorable qui te vaudrait une place de choix dans le grand livre des records Guinness.

Téléphoner à Marjorie et Jean-Christophe ! Tes amis des Téméraires de l'horreur, voilà la solution. Tu essaies de tendre le bras vers le combiné, mais il est juste un peu trop loin sur ton bureau.

ZUT ! Trouve une solution au chapitre 85.

Ce genre de système électronique ne t'est pas familier, mais tu as pu tout de même t'apercevoir qu'il s'agissait d'un compte à rebours.

Vous vous approchez tous les trois avec d'infimes précautions pour chercher à comprendre à quoi il peut bien servir. C'est ton ordinateur qui est branché directement à ce grand panneau. Lui, il est ensuite relié à tous les téléphones de la ville.

« Les lignes téléphoniques ! dit Jean-Christophe en pointant du doigt une des puces qui se déplace sur un des câbles. Chacun de ces câbles est relié à une maison du quartier, et les puces... »

Jean-Christophe n'a pas le temps de terminer sa théorie que la puce qui marchait sur le câble saute sur le bout de son index et tente de se frayer un chemin sous son ongle. Jean-Christophe hurle tout d'abord de douleur puis se fige dans un terrifiant silence. Ses yeux deviennent lumineux.

« IL FAUT FAIRE QUELQUE CHOSE ! hurle sa sœur Marjorie. NE RESTE PAS PLANTÉ LÀ ! »

Tu saisis, sans réfléchir, le bras de ton ami au chapitre 18.

1

Vous êtes parfaitement conscients que, en mettant les pieds sur ce tapis, vous seriez transportés sans aucun doute dans un endroit inconnu et éloigné où règnent, évidemment, de grands dangers.

Malgré tous les risques, vous n'hésitez pas une seconde. Aussitôt que vous embarquez tous les trois sur le tapis métamorphosé, les moteurs à réaction se mettent en marche et le tapis vous soulève à un mètre du plancher. C'est ta dernière chance ! Si tu veux débarquer… C'EST LE MOMENT !

Tu regardes tes deux amis, aussi inquiets que toi, mais calmes. Tu restes donc toi aussi assis sur le tapis qui tourne vers la fenêtre et fonce droit vers elle. Tu te couvres la tête avec ton chandail lorsque vous fracassez la vitre. Tout va bien, personne n'est blessé…

Vous survolez Sombreville. La nuit, les lumières, c'est très beau et ça te fait presque oublier ta peur.

Vous arrivez vite aux limites ouest de la ville au chapitre 103.

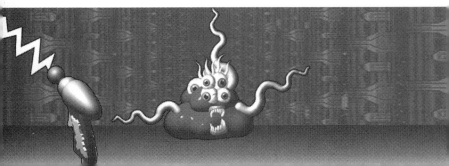

Rends-toi au chapitre inscrit sous l'icône que tu auras choisi.

Vous baissez la tête, car vous avez l'horrible impression qu'il vous a aperçus à ta fenêtre. Assis tous les trois sur le plancher, dos au mur, vous écoutez attentivement. Au-dessus de votre tête, la fenêtre glisse et s'ouvre lentement. Vous vous relevez d'un seul bond tous les trois et vous la refermez sur les doigts raides et tout blancs du colporteur...

Il hurle sa douleur et s'enfuit en courant. Vous ouvrez la fenêtre et vous vous lancez à sa poursuite. En pyjama, tu cours dans les rues de Sombreville.

« OÙ EST-IL PASSÉ ? » demande Marjorie, qui arrive à ta hauteur.

Un chien aboie sur la rue Pasdebonsang. Vous vous dirigez vers lui. C'est le colley de Madame Lambert, c'est un gentil chien. Tu lui caresses la tête et tu cherches partout. ZUT ! Le colporteur vous a échappé…

Juste en face de la maison de Madame Lambert, un nouveau commerce est sur le point d'ouvrir ses portes… UN MAGASIN D'ORDINATEURS !

C'est curieux, la porte est entrouverte…

Vous vous dirigez vers elle au chapitre 12.

10

Voyant que personne ne lui ouvre, le colporteur rageur déchire la boîte et branche l'ordi à une prise électrique près de la porte. Il pianote ensuite rapidement sur quelques touches du clavier, et tout de suite l'ordi se métamorphose en une créature terrifiante.

Vous essayez de vous enfuir, mais le monstre vous a aperçus et il se lance à votre poursuite. Allez-vous avoir la chance de vous enfuir ? NON !

FIN

11

Tu fermes les yeux et tu déposes les doigts sur le clavier. Rien ne se produit. Tu presses quelques touches, puis l'écran devient clignotant et passe du bleu au rouge puis au vert. Tu t'arrêtes…

Il ne se passe rien d'autre. Tu te tournes vers tes amis, mais ils ne sont plus là. Tu regardes partout dans ta chambre. On dirait qu'ils sont partis. Tu ouvres la porte. Il n'y a personne dans le corridor. Tu lèves les épaules, car tu ne comprends vraiment pas où ils sont passés.

Tu te rassois devant ton ordi et tu découvres que tu as, sans t'en rendre compte, commencé un jeu. AH ! Un peu de détente te fera le plus grand bien. Tu tapes sur quelques touches pour faire progresser les deux petits personnages du jeu, qui, à ton grand étonnement, ressemblent en tous points à Jean-Christophe et Marjorie.

« SAPRISTI ! » t'exclames-tu en constatant qu'il s'agit bel et bien de tes amis.

Va au chapitre 81.

12

Tu pousses lentement la porte, qui s'ouvre en grinçant *CRIIIIIIII !* et vous entrez tous les trois. Autour de vous, il y a plein de boîtes. Tu examines l'une d'entre elles. Elle contient un ordi pareil au tien.

TOUS CES ORDINATEURS ! Y'a pas de doute, quelqu'un ou quelque chose avec de mauvaises intentions veut envahir le quartier et ensuite la ville. Il va tout d'abord s'introduire dans les maisons avec ses ordinateurs démoniaques pour ensuite posséder tout, autant les objets... QUE LES GENS !

Allez au chapitre 80.

13

Tu saisis tout de suite la manette. Maintenant, tu peux guider à ta guise le tapis volant. Les cheveux au vent, tu te concentres sur la tâche à accomplir. C'est un peu comme un jeu vidéo sauf qu'ici, une fausse manœuvre, et tu peux vraiment te péter la gueule.

Tu tournes autour du château lugubre. Tu portes la main gauche à ta poitrine parce que tu penses que ton cœur va en sortir. Tes amis en ont aussi le souffle coupé ; le spectacle est à la fois terrifiant et sensationnel. Tu aperçois une passerelle. Voilà ta piste d'atterrissage…

« CHERS PASSAGERS, vous enjoint Marjorie, qui joue à l'agent de bord. VEUILLEZ ATTACHER VOTRE CEINTURE. NOUS ALLONS ATTERRIR EN CATAS-TROPHE DANS QUELQUES SECONDES ! » ajoute-t-elle, les deux mains sur les yeux.

Le tapis percute violemment les pierres usées de la passerelle, qui heureusement tient le coup. Vous glissez sur plusieurs mètres. Un mur de poussière se soulève autour de vous, et puis BANG ! Vous enfoncez, malgré vous, une grande porte.

Le tapis s'arrête dans le hall tapissé de toiles d'araignée du château Morondus au chapitre 88.

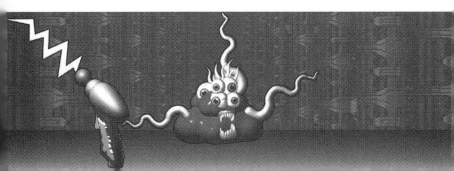

14

Avant même que tu n'aies le temps de pousser la porte, le judas s'ouvre.

Rends-toi au chapitre 84.

15

Dès que la puce manquante est installée sur le circuit imprimé, la porte s'ouvre. **SHHHHHH** !

Il n'y a rien de l'autre côté que la continuité de la galerie. Quelques chauves-souris vous font sursauter, mais pas plus, car vous pouvez tout de suite faire la différence entre de simples chauves-souris et de dangereuses chauves-souris vampires. L'expérience des vrais Téméraires, quoi… Vous vous penchez tous les trois pour leur céder le passage. Au loin, elles disparaissent dans la galerie. Tu passes avec tes amis le seuil de la porte qui, malheureusement, se referme toute seule.

BLAM !

Impossible de revenir en arrière maintenant.

Plus loin, les bruits des machineries se font de plus en plus audibles. Vous êtes sur la bonne voie. Avec confiance, tu avances sans regarder où tu mets les pieds. Juste avant que tu ne tombes dans un immense trou, Jean-Christophe attrape ton chandail et t'arrête net.

OUF ! Va au chapitre 105.

16

Sans réfléchir, tu arraches de la main du squelette cette étonnante découverte. Mais tu n'as pas vu que le cubitus du squelette était relié à un fil transparent et que tu venais d'activer… LES ESCALIERS PERPÉTUELS !

Si tu veux espérer un jour sortir de cet endroit, étudie bien ce réseau complexe d'escaliers. Choisis la voie que tu veux prendre.

17

« C'EST UN FAUX ! s'exclame-t-il après l'avoir examiné. Il est en plastique. Les deux yeux sont des caméras vidéo miniatures. C'EST UN DISPOSITIF DE SURVEILLANCE ! »

Tu respires un peu mieux. Mais qui au juste habite cet endroit, et pourquoi protège-t-il les lieux avec un système aussi perfectionné ?

Tu t'approches d'un des squelettes couchés dans un cercueil. Lui aussi est fait de plastique. Vous êtes entourés d'un décor comme on en trouve au cinéma. Quelqu'un se donne vraiment un mal fou pour protéger les lieux ; c'est très bizarre !

« Qui d'autre qu'un milliardaire excentrique peut aller si loin dans l'extravagance ? » demande Marjorie.

Au fond de la salle principale se trouve une grande porte derrière laquelle vous percevez une conversation.

Est-elle verrouillée ? Pour le savoir…

TOURNE LES PAGES DU DESTIN…

Si elle n'est pas fermée à clé, ouvrez-la au chapitre 14.
Si par contre elle est solidement verrouillée, allez plutôt au chapitre 74.

18

La puce électronique s'est branchée à Jean-Christophe et ne tarde pas à contrôler tous ses mouvements. Sous tes yeux, il se métamorphose. Tu essaies de saisir sa main pour lui enlever cette puce maudite, mais ton ami te repousse violemment. Tous ces boutons, leviers et transistors qui viennent d'apparaître partout sur sa peau ont décuplé sa force.

Marjorie jette des regards affolés autour d'elle. Des dizaines de puces marchent dans sa direction et finissent par l'encercler. Va-t-elle subir le même horrible sort ? NON ! Elle se met à sauter et danser pour toutes les écrabouiller.

Devant toi, Jean-Christophe se dresse. Il ressemble de plus en plus à une sorte de mutant électronique. Tu te doutes qu'il est sur le point de te faire passer un mauvais quart d'heure. Il faut que tu le débarrasses de cette puce avant que la transformation ne soit irréversible.

Faire sauter la puce avec une surcharge électrique, voilà ce que tu dois faire, et les piles de ton baladeur vont peut-être faire l'affaire...

Tu plonges la main dans ton sac à dos et tu tires le fil de tes écouteurs au chapitre 33.

19

« Peut-être faudrait-il ouvrir la prochaine porte, tous les trois ensemble », pense Marjorie.

Vous mettez tous les trois la main sur la poignée et vous tirez tous en même temps. GO ! Est-ce que cela a fonctionné ? Non, parce que derrière, il y a un miroir. Vous regardez tous les trois votre reflet, qui semble un peu différent de la réalité. Tu cherches à comprendre en quoi. OUI ! Le miroir te renvoie une image vieillie de toi-même.

Jean-Christophe et toi, vous vous mettez à rire lorsque vous apercevez toutes ces rides sur votre visage. Marjorie, elle, ne sourit pas du tout, car les rides de vieillesse de votre reflet… APPARAISSENT AUSSI SUR VOTRE VISAGE !

Tu refermes vite la porte, mais le miroir maléfique a fait son œuvre… VOUS AVEZ VIEILLI TOUS LES TROIS DE 40 ANNÉES !

Lentement, le dos courbé, vous vous rendez tous les trois à l'extrémité du couloir…

… à la toute dernière porte au chapitre 79.

Vous vous laissez emporter vers les sombres et très morbides catacombes. Le tapis vous dépose comme de la marchandise délicate juste devant un pont-levis qui s'abaisse dans un lugubre bruit de chaînes.

CLING ! CLIIIING ! CLING !

Tu jettes un regard discret autour de toi en te demandant ce que tu peux bien faire ici. Vous traversez le pont, qui semble assez solide pour supporter votre poids. Il y a des pierres tombales très anciennes qui transpercent le tapis de brouillard verdâtre. Une main osseuse peut surgir de n'importe quelle tombe, t'attraper, et t'entraîner sous le sol vaseux du cimetière. T'as déjà vu ça souvent, et pas juste dans des films d'horreur.

Des chauves-souris vampires aux dents proéminentes attendent tête en bas qu'une proie imprudente passe sous l'arbre mort pour se jeter sur elle et sucer tout le délicieux sang qui circule dans ses veines. C'est une chance que tu aies aperçu ces répugnantes créatures de la nuit.

Le brouillard est de plus en plus dense. Tu ne vois même pas tes espadrilles ni où tu poses les pieds.

Ton cœur bat à tout rompre lorsque tu t'approches de l'entrée des catacombes au chapitre 82.

ZOOUUUP ! En plein dans le mille. C'est ce qui s'appelle bien viser. La créature a été littéralement pulvérisée.

Vous poursuivez votre route. MALHEUR ! Tu viens de poser le pied sur quelque chose de mou. Sans doute un morceau du monstre que tu viens de bousiller. Comment contourner quelque chose qui est invisible ?

Plus loin, une lumière diffuse semble éclairer la grotte. Vous avancez. Sur le sol, il y a des traces de pas. Tu les compares à tes pieds, et elles sont deux fois plus grandes. Vous arrivez dans une vaste caverne traversée par des tas de câbles translucides. À l'intérieur d'eux, tu peux apercevoir des puces électroniques flottant dans un liquide bizarre qui, lentement, les déplace. Vous suivez un gros tuyau mou qui se tortille par terre. Le tuyau aboutit au panneau principal du système téléphonique du quartier.

Tu découvres avec horreur dans le panneau des centaines de petites puces vivantes. Elles marchent comme des mille-pattes sur chacun des fils. Chacun de ces fils conduit à une maison. Qu'est-ce que ces insectes de silicone trament ? Veulent-ils s'introduire dans le cerveau des gens par une oreille et contrôler tout le monde ?

Va au chapitre 30.

ZOOUUUP !

En plein dans le mille ! La souris volante virevolte comme un oiseau blessé et va s'écraser dans ta corbeille à papier.

BLAM !

Par le fil, tu la soulèves et tu la déposes sur son petit tapis. Tu pianotes alors sur le clavier de ton ordi. Il n'y a plus de lettres sur les touches. Tu essaies de te rappeler quelques détails, mais c'est trop vague. Tu appuies sur ce que tu crois être la touche « ENTRÉE ». Ton ordi réagit et t'attrape par le cou avec un de ses tentacules gluants. Tu n'oses plus toucher à rien.

Jean-Christophe et Marjorie tentent par tous les moyens de te dégager, mais rien à faire. Plus ils tirent sur le tentacule, et plus il se resserre sur ton cou.

Avec la main droite, tu attrapes la souris et cliques n'importe où sur l'écran. Trois icônes apparaissent. Sur lequel vas-tu faire glisser le pointeur et cliquer ?

Observe bien l'écran de ton ordi au chapitre 8.

23

À ton grand étonnement... QUELQU'UN RÉPOND !
Tu essaies de capter des bribes de la conversation, mais
avec sa voix basse, presque éteinte, tu ne comprends pas
un traître mot de ce que le colporteur peut raconter à la
dame.

Tu croises les doigts, espérant qu'elle va lui fermer la
porte au nez, mais il n'en est rien. Plutôt, la dame lui tend
une liasse de billets, et le colporteur lui donne l'ordi...

NOOOOON !

Ensuite, il lui fait une petite courbette pour la remer-
cier et retourne à sa camionnette afin de poursuivre son
petit manège à la maison voisine.

Tu te jettes vers l'entrée de la dame et tu sonnes à ton
tour à la porte. MALHEUR ! Elle ne répond pas. À la
fenêtre, les lumières clignotantes éclairent le trottoir. Elle
a branché l'ordinateur... IL EST TROP TARD !

Autour de vous, dans plusieurs maisons, les ordinateurs démoniaques tendent leurs dégoûtants tentacules
partout... ET VOUS N'Y POUVEZ RIEN !

FIN

La porte ne possède aucune serrure, mais que des tas de composantes électroniques. Des transistors, des transformateurs, plusieurs fils multicolores, un microprocesseur, un capteur de mouvements… Tout cela sur un circuit imprimé. Tu remarques soudain qu'une importante pièce manque à la porte pour qu'elle puisse s'ouvrir à vous.

Tu réfléchis quelques secondes, puis tu plonges la main dans ta poche gauche pour en sortir ton couteau suisse. Marjorie s'affole ; elle croit qu'un monstre vient vers vous. Elle se colle sur son frère et jette des regards nerveux partout.

« Du calme, la rassures-tu. Je vais tenter d'ouvrir la porte avec l'une des puces électroniques qu'il y a dans un de ces tuyaux. »

Avec la lame très bien affilée de ton couteau, tu perces un des gros tubes transparents. Des dizaines de puces et de transistors se répandent avec le liquide gluant sur le sol. Tu as l'embarras du choix…

Rends-toi au chapitre 102 pour choisir.

Comment vas-tu réussir à descendre ? D'où tu te trouves, tout est hors de portée…

Tu suis le câble qui te soutient. Il monte jusqu'au plafond très haut, ensuite il descend sur le mur jusqu'à une sorte de mécanisme.

Avec les jambes, tu donnes quelques coups et tu réussis à te balancer pour tracer de grands cercles. Tu parviens à t'approcher suffisamment pour constater qu'il s'agit d'un système de poulies et de roues dentées. Tu donnes encore quelques coups pour t'approcher encore plus. Tu réussis tant bien que mal à t'accrocher à un rebord de pierre tout près du mécanisme.

Couper le câble ? T'as même pas ton couteau suisse. Tu examines le mécanisme. Il y a plusieurs poulies, quelques roues dentées et une manivelle. Tu remarques aussi que ce truc est pas mal rouillé… Tourner la manivelle est la seule solution. MAIS ATTENTION ! Si tu la tournes dans le mauvais sens, tu risques fort que tout se fige dans la rouille. Si par malheur ça devait arriver, tu serais condamné à rester suspendu comme ça... TRÈS TRÈS TRÈS LONGTEMPS !

Examine bien le mécanisme au chapitre 54.

Tu t'approches de l'ordi sans vraiment savoir ce qui arrivera lorsque tu t'assoiras devant. Cette chose qu'est devenu ton ordinateur peut aussi bien te mordre ou t'expulser dans une autre dimension.

À l'écran, il y a le pointeur de la souris et toutes sortes d'icônes qui t'intriguent beaucoup. Tu brûles d'impatience de découvrir de quoi il s'agit. Si, bien sûr, l'ordi t'en laisse le temps. Tu t'assois lentement sur ta chaise. RIEN NE SE PASSE ! Tu es toujours là.

Tu approches ta main de la souris et tu la saisis, très délicatement. Elle frissonne et grogne sous tes doigts. Tu promènes le pointeur sur l'écran jusqu'à ce qu'il arrive sur un icône où il est écrit : formatage du disque dur et réinstallation de tous les programmes de base.

Lorsque tu t'apprêtes à cliquer sur le bouton de droite de la souris, **ZAP ! ZAP !** des ailes apparaissent sur le dos de la souris, et elle s'envole. Tu pointes le désintégrateur dans sa direction et tu appuies sur la gâchette. Vas-tu réussir à l'atteindre ? Pour le savoir…

TOURNE LES PAGES DU DESTIN… Et vise bien…

Si tu réussis à l'atteindre, va au chapitre 22.
Par contre, si tu l'as ratée, rends-toi au chapitre 35.

27

Tu cliques sur ce curieux icône en espérant que ce soit le bon.

Le tentacule vibre, ouvre très grand sa ventouse et t'avale comme un boa avale sa proie.

GLOURB !

Les mains le long du corps, tu entames une longue descente de plusieurs mètres pour finalement être transformé… EN MICROPROCESSEUR HUMAIN !

FIN

28

Tu tournes la poignée, et la porte s'ouvre. Vous descendez quelques marches et constatez qu'il fait très noir. À tâtons, vous avancez dans le sous-sol humide. Ta tête percute un objet, **POC** ! qui se balance et revient encore te frapper la tête… **POC** ! C'EST UNE AMPOULE ! Tu tires la petite corde, et la lumière vous éclaire…

Ton cœur s'arrête lorsque tu aperçois le colporteur assis dans un fauteuil — du genre chaise de dentiste. Il est immobile. À ses deux yeux sont branchés des câbles dégoûtants comme ceux que tu retrouves sur ton ordi. DEUX PLUS DEUX FONT QUATRE ! Le colporteur est une sorte de robot maléfique avec de très mauvais projets…

Ensemble, vous décidez d'appeler les flics. Eux, ils feront ce qu'il faut faire pour mettre en quarantaine cette boutique diabolique.

Toi et tes deux amis, retournez au chapitre 4. Il reste un ordi à débrancher… LE TIEN !

29

Difficile de croire que vous allez vous aventurer dans une sombre et profonde grotte creusée à même l'armoire que ton grand-père t'a léguée en héritage.

Pistolet désintégrateur en main, tu prends la tête de ton équipe de chasseurs de fantômes, les Téméraires.

À l'entrée, tu n'as même pas besoin de baisser la tête pour entrer tellement l'embouchure est grande. À l'intérieur de l'armoire, il n'y a maintenant que de grandes parois rocheuses. Des stalactites, suspendues à la voûte, s'écoule un liquide qui brille dans le noir et qui éclaire partout. C'est peut-être radioactif ; vaut mieux ne pas toucher à ça.

Un crâne écrasé par le gros pied d'une créature vous confirme que le danger est bien présent. Tu serres très fort la crosse de ton désintégrateur. Entre les **PLIC ! PLOC !** des gouttes lumineuses qui tombent, tu perçois un petit frottement. QUELQUE CHOSE APPROCHE !

« Voilà ma première cible qui se pointe », murmures-tu à Marjorie, qui n'a rien entendu, mais qui cherche maintenant de tous les côtés.

« Un tir et **ZOUP !** Je la pulvérise... »

Elle avance au chapitre 44.

Tu voudrais t'approcher et en attraper une, mais Jean-Christophe et Marjorie te retiennent. C'est trop dangereux. Elles pourraient toutes te sauter dessus et te dévorer comme de voraces petits piranhas. Il ne te resterait que les os.

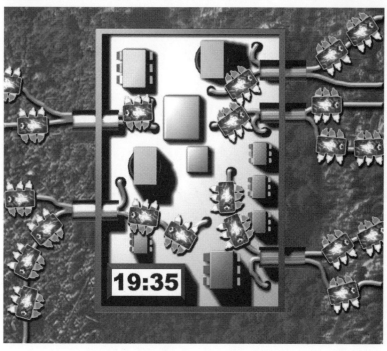

Allez au chapitre 65.

Derrière toi, la poignée de ta porte de chambre tourne lentement. S'il s'agit de tes parents... T'ES CUIT ! La porte s'ouvre un petit peu. Le visage souriant de Marjorie glisse dans l'ouverture. OUF ! Ce sont tes amis...

« Entreeeez ! insistes-tu en serrant les dents. Qu'est-ce que vous attendez ?

— POUAH ! Mais qu'est-ce qui se passe ici ? Et c'est quoi ce truc dégoûtant ? s'étonne Jean-Christophe. On dirait un ordinateur !

— C'en est un ! Mais c'est une trop longue histoire, lui réponds-tu. Dégagez-moi de cette machine infernale, VITE ! »

Tout près de toi, un tiroir de ton bureau s'ouvre tout seul. À l'intérieur, il n'y a plus un seul de tes vêtements, mais il y a des centaines de puces électroniques frétillantes et lumineuses. L'ordinateur essaie de prendre le contrôle de ta chambre. La situation se corse. Ça presse, il faut te dégager au plus vite.

Jean-Christophe t'attrape par le torse, et Marjorie se jette à genoux sur la moquette pour saisir tes jambes. Ensemble, ils conjuguent leurs efforts et réussissent à te dégager.

Allez au chapitre 61.

32

Au bout d'un étroit passage, vous trouvez un escalier qui descend très bas. OH OH ! Vous n'êtes jamais passés par ici...

Tu te penches pour sonder la noirceur.

Tu arraches un des câbles lumineux, tu l'enroules autour de ta main gauche et tu passes devant. Jean-Christophe et Marjorie derrière toi, tu dévales les marches. Une centaine de marches plus bas, l'escalier aboutit à une grande salle. Tu sursautes lorsque tu aperçois la grande statue qui semble surveiller l'entrée. Vraiment pas belle à voir, très très mal faite. La personne qui a sculpté cette horreur a certainement coulé son cours d'arts plastiques à l'école...

Vous suivez tous les trois une centaine de câbles qui tournent tous en spirale, mais qui vont dans la même direction. La salle dans laquelle vous êtes est circulaire. Ça, vous en êtes certains. Les câbles placés en spirale vous rapprochent de plus en plus du centre. C'est trop vaste, et il fait trop noir pour voir quoi que ce soit ici. À toutes les dix secondes environ, tes cheveux sont balayés par un courant d'air chaud et humide. Ça pourrait être une ouverture quelque part, mais à cette profondeur sous le sol ? Il y a de fortes chances qu'il s'agisse plutôt du souffle d'une créature gigantesque qui respire, cachée dans l'ombre...

Cesse de trembler et va au chapitre 52.

33

Rapidement, tu saisis ton baladeur et tu arraches la petite porte derrière laquelle est logée la pile. Faut espérer maintenant qu'elle contienne assez d'énergie pour faire sauter la puce. Jean-Christophe avance un peu puis s'immobilise. Un déclic se fait entendre, et ses deux yeux changent. Maintenant, ils sont comme des faisceaux laser rouges et ils sont pointés directement sur la pile que tu tiens entre ton pouce et ton index. Le mutant qu'il est devenu se doute peut-être de quelque chose...

ÇA VA MARCHER, C'EST CERTAIN ! Si seulement ton ami transformé attrape avec la main la pile où se trouve accrochée cette foutue puce électronique...

Tu lances la pile vers ton ami. Elle tournoie dans les airs et arrive vers lui. Est-ce que Jean-Christophe va attraper la pile ou va-t-il plutôt s'enfuir ? Pour le savoir...

TOURNE LES PAGES DU DESTIN.

Si Jean-Christophe attrape la pile, rends-toi vite au chapitre 39.
Si par contre il s'enfuit, va au chapitre 58.

34

Tu cliques deux fois sur la clé, et tout de suite une double porte s'ouvre à l'écran. Derrière toi, Marjorie et Jean-Christophe se réjouissent.

Le jeu commence. Il s'agit ici d'éliminer tous les monstres que tu rencontres pour finalement faire face au maître du niveau. Une fois ce dernier vaincu, tu auras droit à un indice…

Tu promènes le pointeur à l'écran, détruisant toutes les créatures qui osent pointer leur sale gueule à l'écran. Au bout d'un grand labyrinthe, le maître du niveau apparaît. Tu fais feu de tout ton arsenal et tu le fais disparaître lui aussi.

À l'écran apparaît le mot : ARMOIRE.

Voilà l'indice qu'il te fallait. Retourne au chapitre 4.

35

RATÉ !

Tu essaies de tirer un autre coup, mais ton désintégrateur s'est enrayé. La souris volante se jette sur toi. Tu lut-
tes avec elle pendant que Marjorie essaie de la frapper
avec ton oreiller. Ses dents pointues se plantent dans ta
main. OUILLE ! Que ça fait mal ! Tu viens d'être mordu
par ta souris d'ordinateur ! Qui va croire un truc pareil ?

Jean-Christophe vient d'avoir un éclair de génie. Il tire
le fil et débranche la souris, qui tombe inerte sur le tapis.
BANG ! Bien fait pour elle...

Tantôt, il n'y avait que ton bras qui te faisait mal.
Maintenant, la douleur est montée à ton coude. C'EST EN
TRAIN DE S'INFECTER ! VITE ! Il te faut de l'antisep-
tique.

Discrètement, tu parviens à te rendre jusqu'à la salle
de bains, où est rangée la trousse d'urgence. Tes bobos
bien soignés et bien pansés, tu retournes dans ta chambre...

... au chapitre 60.

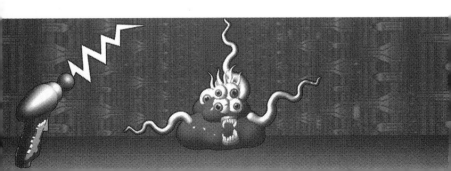

Tu fermes la lumière de ta chambre et tu te diriges vers la fenêtre.

« C'est lui ! t'exclames-tu tout bas. C'est le colporteur qui a vendu cet ordi de malheur à mon père. »

Il se tourne vers vous...

Va-t-il vous apercevoir tous les trois à la fenêtre ? Pour le savoir…

TOURNE LES PAGES DU DESTIN…

S'il vous a vus, allez au chapitre 9.

Si cependant, il n'a pas remarqué que vous étiez en train de l'épier, rendez-vous alors au chapitre 59.

37

Lentement, tu tournes la manivelle.

AH NON ! Tu montes au lieu de descendre. Tu stoppes net et tu essaies de la ramener dans l'autre sens. RIEN À FAIRE ! Il vient d'arriver ce que tu craignais le plus : le mécanisme est figé dans la rouille…

Tu voudrais dire un paquet de gros mots, mais ça servirait à quoi…

Tu essaies toutes sortes de choses, mais rien à faire. Vous attendez comme ça, suspendus dans les airs, tous les trois jasant de tout et de rien. Une porte coulissante finit par s'ouvrir tout à fait en bas, et un torrent d'eau verte entre à grand débit. Est-ce le temps du bain ? NON ! C'est plutôt l'heure du repas qui vient de sonner pour une quelconque créature qui nage et qui trace des cercles juste au-dessous de toi. À voir la dimension de sa nageoire dorsale, il s'agit d'une très grosse bibitte, ça c'est certain.

L'eau monte rapidement, emportant avec elle la créature. Tu lèves les pieds, mais tu ne fais que retarder de quelques secondes ta triste destinée…

FIN

38

DES RAPTORS !

*LENTEMENT ! Sans faire de gestes préci-
pités, tourne les pages de ton livre jusqu'au
chapitre 71.*

39

D'un geste mécanique et extrêmement précis, Jean-Christophe attrape la pile. Tout de suite, de petits éclairs courent sur sa main. La puce maudite saute de son index et se met à courir sur les parois de la grotte. Jean-Christophe s'affale sur le sol pendant que Marjorie tente d'écraser la puce d'un coup de savate à la Jackie Chan.

CROUCH !

Elle a réussi...

Tranquillement, ton ami reprend ses esprits. Avec Marjorie, tu enlèves doucement les transistors qui s'étaient formés sur sa peau.

« Tout doux ! Tout doux ! se lamente Jean-Christophe, qui retrouve lentement ses sens. Allez-y doucement, comme pour des pansements... »

Ensemble, vous repartez poursuivre l'exploration de cette grotte aux multiples galeries. Vous entendez de la machinerie qui ronronne, mais vous êtes incapables de la trouver. Vous avez l'impression de tourner en rond, car vous revenez plusieurs fois dans les endroits où vous êtes déjà passés. Marjorie frotte un caillou sur la paroi pour dessiner un X afin que vous puissiez reconnaître les galeries dans lesquelles vous êtes déjà passés.

Marchez jusqu'au chapitre 32.

Anxieux, vous vous placez tous les trois devant le miroir. Comme par magie, les rides disparaissent une après l'autre jusqu'à ce que vous retrouviez tous les trois votre apparence normale.

Une lumière diffuse s'échappe d'une grille et vous permet de fouiller de fond en comble la pièce où vous êtes. Il n'y a aucune porte ! D'ailleurs, où est passée la porte par laquelle vous êtes entrés ?

Tu saisis le deuxième miroir, et le reflet de celui-ci te révèle l'emplacement... DES PORTES !

« Il y a une, deux, trois portes, indiques-tu à tes amis après avoir fait le tour de la pièce. Une ici, une là et l'autre juste à côté de toi, Marjorie...

— OÙ ? OÙ ? cherche-t-elle en tournant en rond. Je ne vois rien... »

Tu t'approches et tu pointes l'emplacement exact où elle se trouve en t'aidant du miroir. Jean-Christophe tapote le mur et finit par poser sa main sur la poignée invisible.

Le miroir magique comme guide, vous réussissez à retourner jusqu'au chapitre 4 afin de poursuivre votre aventure...

41

Dans la vallée, la lave s'accumule dangereusement autour de vous. Elle est à plusieurs mètres de toi, et tu peux sentir la chaleur. Devant vous, un cul-de-sac ! Vous devez retourner en arrière. Des hurlements de dinosaures se font entendre tout autour de vous. C'est le cataclysme qui détruira toutes les espèces animales sur Terre...

Il y a de cela 160 millions d'années sont disparus de la surface de la Terre les dinosaures... ET LES TÉMÉRAIRES DE L'HORREUR ! Et cela, ça ne sera jamais écrit dans aucun livre...

FIN

42

Vous descendez sans hésiter l'escalier de bois vermoulu. Derrière vous, une porte se ferme violemment. BLAM ! Tu jurerais que, tantôt, il n'y en avait aucune. Enfin, vous ne pouvez qu'aller de l'avant maintenant.

Tout en bas, le sol est terreux et humide. Il y a des cercueils partout dans des cavités creusées à même la roche. Certains sont vides et d'autres contiennent des restes humains en état de décomposition. Cela va te couper l'appétit pour les trois prochains jours, ça c'est certain.

Avec un bon coup de karaté, tu brises les toiles d'araignée qui t'empêchent de progresser. Un crâne placé sur le couvercle d'un cercueil semble t'observer. Mal à l'aise, tu regardes ailleurs et tu fais quelques pas en avant. Tu te retournes vers le crâne… SES DEUX YEUX SONT ENCORE FIXÉS DROIT SUR TOI !

Tu te mets à bégayer en pointant le crâne qui te dévisage. Jean-Christophe se sert d'un morceau d'étoffe arraché à un squelette et saisit le crâne.

Allez au chapitre 17.

43

Tu te jettes avec certitude vers les premières marches d'un escalier en colimaçon. Ça tourne et ça tourne, mais ça ne mène nulle part. Tu lèves les épaules et tu t'excuses auprès de tes amis de t'être trompé. Un autre escalier te fait monter pendant des heures, mais tu as l'impression de faire du sur place. À côté de toi, il y a une fenêtre qui demeure continuellement à ta hauteur. Monte-t-elle avec toi ? Non ! Vous êtes pris dans un… ESCALIER ROULANT !

Marjorie a une bonne idée. Il faut vous séparer et prendre chacun une voie. Le premier qui atteint la sortie avertit les deux autres. Au début, ça vous semblait une bonne idée, mais ça fait maintenant des heures que vous vous voyez sans parvenir à vous rencontrer dans un même escalier. Une journée passe, et tu commences à avoir sérieusement faim. Jean-Christophe se rassasie en mangeant une tablette de chocolat. Tu le supplies de t'en lancer un morceau. Il s'exécute un peu à contrecœur, car il sait très bien que la nourriture par ici se fait assez rare. Le morceau virevolte vers toi, mais tombe dans un gouffre entre deux escaliers juste devant toi. C'est raté. Une autre journée passe, et tu as encore plus faim. Maintenant, tu cherches non plus la sortie, mais plutôt ce rat dodu que tu as croisé plus tôt…

FAIM

44

Le frottement se fait de plus en plus audible. Tu cherches de tous bords tous côtés. Rien en vue. Qu'est-ce qui vient vers vous ? Pas moyen de le savoir. Tu sens que ça bouge près de toi. Peu importe ce que c'est, en tout cas c'est doté de la faculté de se rendre invisible. Situation ô combien stressante...

Tirer partout avec ton désintégrateur, voilà un bon moyen d'éliminer cette créature invisible ! Avec un peu de chance, tu pourrais peut-être réussir à l'atteindre. Ah non ! Ce n'est pas une bonne idée. Tu épuiserais vite les piles de ton désintégrateur et tu te retrouverais sans aucun moyen véritable de vous défendre.

Adossés à la paroi humide de la grotte, vous ouvrez grand les yeux. La créature invisible se déplace toujours, vous l'entendez très bien. Jean-Christophe remarque qu'un sillon se forme sur le sol poussiéreux. C'est la créature qui laisse sa trace. Tu pointes ton désintégrateur dans sa direction, mais tu ne tires pas. Ton doigt tremble sur la gâchette. Quelques grosses gouttes lumineuses tombent en plein sur la tête de la créature, et elle apparaît, quelques secondes, juste le temps que vous puissiez voir à qui vous avez affaire.

... AU CHAPITRE 62.

45

Aussitôt que tu décroches le combiné, la sonnerie du téléphone cesse, mais vous pouvez encore entendre, de là où vous êtes, des milliers d'autres sonneries retentir au loin. Ce sont les téléphones du quartier. On dirait qu'ils sonnent tous en même temps. Lorsque tu colles le combiné à ton oreille, tu remarques qu'il n'y a aucune tonalité. Tu sens tout à coup que quelque chose te chatouille l'oreille. Pris de panique, tu jettes le combiné au loin. Marjorie et Jean-Christophe, le visage figé par la peur, reculent et tentent de s'éloigner de toi. Une puce électronique vient de se fixer à ton lobe d'oreille. Tu essaies de l'enlever, mais ça fait trop mal.

Tu veux hurler à tes amis de venir t'aider, mais de ta bouche ne sortent que des sons informatisés. Tes bras et tes jambes ne répondent plus. Cette puce-électronique-boucle-d'oreille vient de prendre le contrôle total de ton cerveau, et tu ne peux rien faire. Tes amis cherchent à comprendre ce qui se passe. Tu leur souris d'une façon assez démoniaque avant de les attraper tous les deux avec tes longs doigts maintenant transformés en de longs fils électriques. Des milliers de puces vous entourent puis se collent à votre peau pour vous métamorphoser tous les trois en processeurs vivants...

FIN

46

Tout au bas de l'écran, il y a deux clés. Laquelle te permettra de commencer la partie ?

Rends-toi au chapitre inscrit sous la clé que tu auras choisie...

47

ZOOUUUP !

SUPER ! Tu as pulvérisé une tête, mais il en reste deux. Pas le temps de tirer un autre coup, le monstre se lance à votre poursuite. Tu sautes sur ton lit, le monstre bondit et te mord la cheville, tu t'évanouis…

Tu ouvres les yeux. Qu'est-ce qui s'est passé ? AH OUI ! Tu t'es fait mordre par ta commode transformée en chien à trois têtes par ton ordinateur. Marjorie et Jean-Christophe sont aussi avec toi ; ils se sont fait mordre, eux aussi.

Bon, vous êtes ensemble, mais où êtes-vous ? Autour de vous, c'est une forêt, mais de quelle forêt s'agit-il ? Le parc de Sombreville ? Non, parce qu'il y a autour de toi des plantes gigantesques que tu n'as jamais vues de ta vie.

Des grognements surviennent ainsi que des bruits de feuilles et de branches écrasées. Tu pousses vers le côté un bosquet de fougères pour voir…

… au chapitre 38.

Vous descendez les marches grossièrement sculptées à même la pierre. En bas, il fait sombre, mais vous parvenez à discerner une multitude de cercueils anciens placés chacun dans une cavité creusée dans les parois.

Lentement, tu soulèves un des couvercles. Ça sent très mauvais ! C'est vrai que ça fait plus d'un siècle que ce cercueil a été placé ici. Rien d'autre à signaler qu'un cadavre séché dans ses vêtements pourris. Tu refermes lentement le couvercle et tu passes au suivant.

À l'intérieur de celui-ci, pas de cadavre. Seulement une longue cape noire et rouge. C'est peut-être un cercueil réservé, mais à qui appartient-il ? Tu frottes le couvercle pour enlever la poussière afin de lire l'épitaphe : *Ci-gît Mourabus le magicien malicieux. Si toutefois il a réussi à échapper à sa propre mort... GARE À VOUS !*

« POUR MON PROCHAIN TOUR ! hurle soudain une voix caverneuse derrière vous, je vais demander l'assistance de trois braves gens. »

Vous vous retournez vers la grande silhouette bleutée coiffée d'un chapeau haut-de-forme au chapitre 86.

49

CRAAAAAC !

Marjorie essaie tout de même de rester en équilibre sur le vieux fauteuil, qui n'a plus maintenant que trois pieds. Elle s'accroche au tableau. Le fauteuil pivote et tombe sur le côté. Les pieds dans le vide, elle essaie de se hisser dans l'ouverture, en vain, et elle tombe, **BLAM** !

Vous vous élancez vers elle. La chute de Marjorie a affaibli les solives pourries du plancher, qui cèdent sous votre poids. Vous chutez maintenant tous les trois, un étage plus bas, dans un lit à baldaquin aux couvertures moisies. Sur la table de chevet tout près de toi, une bouteille de parfum s'ouvre d'elle-même... IL Y A UN FANTÔME DANS CETTE CHAMBRE ! Ce n'est pas le temps de piquer un petit roupillon.

Vous essayez de vous lever, mais une curieuse fumée s'échappe de la bouteille et vous enveloppe. Vous vous endormez tous les trois... LES YEUX TOUJOURS OUVERTS !

Plusieurs fantômes vous entourent, et tu ne peux pas bouger un seul muscle, car maintenant, tu vas dormir éveillé... POUR L'ÉTERNITÉ !

FIN

MALHEUR ! Tu as raté la cible…

Le monstre à trois têtes rugit comme un lion et bondit sur toi. Tu tombes à la renverse sur ton lit. Le monstre appuie ses deux lourdes pattes sur ton torse et t'immobilise. Tu repousses une de ses têtes avec la main gauche et une deuxième avec la main droite. Mais le monstre en possède trois, et il réussit à te mordre dans le cou comme le font les vampires. Peu à peu, tu sens tes forces te quitter…

Tu ouvres les yeux et découvres que tu es suspendu, avec tes deux amis, par un câble dans un endroit où tu n'as jamais mis les pieds.

Va au chapitre 25.

51

Après avoir regardé attentivement l'écran, tu te demandes bien ce que tu dois faire maintenant, car chaque geste, comme tu as pu le constater avec ta souris métamorphosée, peut avoir des conséquences, disons-le… ASSEZ GRAVES !

Toucher l'écran pourrait être intéressant, surtout lorsque tu songes que le verre… SEMBLE AVOIR DISPARU ! Dans ce cas-ci, rends-toi au chapitre 57.

Pour pianoter sur le clavier, même si toutes les lettres, les chiffres et les mots se sont effacés, va au chapitre 11.

REBRANCHER LA SOURIS ! C'est à envisager… Rends-toi dans ce cas-ci au chapitre 89.

52

Autour de vous, ça devient de plus en plus lugubre, car il y a maintenant des ossements humains sur le sol. Des crânes, des tibias et des cages thoraciques recouvrent le plancher. Un tapis très morbide, quoi.

Juste au-dessus de vous, une grande sphère soudain se gonfle d'énergie et illumine la salle tout entière. Ta crainte était bien fondée. Au centre, sous une grande voûte rocheuse, se trouve recroquevillée sur elle-même une créature énorme. Tous les câbles sont branchés à ce monstre sans visage. Pas d'yeux, pas de bouche... que des gros câbles branchés à sa tête. Effrayés, vous l'examinez, le dos appuyé à la paroi rocheuse. Son souffle régulier soulève encore tes cheveux... CETTE CRÉATURE EST VIVANTE !

Bon ! Vous avez découvert la source du mal, mais ne pensez pas en venir à bout avec votre ridicule désintégrateur. Autant vous battre contre une armée d'ogres armés et assoiffés de sang avec de simples cure-dents !

Revenir sur vos pas pour vous consulter sur la bonne tactique à prendre, ça, ce serait judicieux...

Vous vous dirigez à pas feutrés vers l'escalier. En voulant poser le pied sur la première marche, tu butes contre quelque chose d'invisible. Un mur transparent, une barrière magique... VOUS NE POUVEZ PLUS SORTIR !

Allez au chapitre 93.

53

De l'autre côté du gouffre profond, tu peux te remettre à respirer normalement. De ce côté-ci, la galerie est beaucoup plus large. À la voûte sont suspendues avec des chaînes toute une série de plaques sur lesquelles sont soudés de longs pics mortels. À gauche et à droite, sur les parois, il y a des fissures bien droites — trop droites même. Tu glisses un œil dans l'une d'elles et tu remarques qu'il y a une grosse lame de scie meurtrière prête à trancher les malchanceux qui déclencheront le mécanisme de mise en marche.

Tu regardes autour de toi. Par terre, il y a un petit caillou qui n'est pas de la même couleur que les autres. C'est sans doute sous ce caillou que se cache l'ignoble levier qui active cette machine infernale.

Vous le contournez en tremblant parce que se faire couper en deux et finir percés par des dizaines de gros pics, ça doit être assez douloureux merci.

Un gros rat aux yeux brillants passe entre tes jambes. AÏE ! Tu te retournes vers Marjorie.

« ATTRAPE-LE ! lui hurles-tu. SINON, IL VA MARCHER SUR LE LEVIER... »

Allez au chapitre 99.

Pour descendre, dans quel sens devrais-tu tourner la manivelle ?

55

Comme un aspirateur infernal, le tentacule avale tout le contenu du sac de Marjorie en quelques secondes.

« TONNERRE DE TONNERRE, AIDEZ-MOI ! hurle-t-elle, paniquée. NE RESTEZ PAS PLANTÉS LÀ COMME DES IDIOTS ! »

Mais avant que vous ne puissiez faire le moindre geste vers elle, le monstre se prend la gorge avec ses deux mains en forme de pinces et se met à hurler de douleur. Marjorie réussit à enlever son sac à dos réduit en lambeaux en gesticulant comme une folle. Le tentacule du monstre se dessèche comme un raisin au soleil. Le monstre à l'agonie s'affale sur le sol de la grotte. Hébétés, vous observez, immobiles.

« Qu'est-ce qu'il y avait dans ton sac ? demandes-tu à Marjorie en cherchant à comprendre.

— Ma lampe, un calepin, un stylo, un yogourt, une tablette de chocolat », te répond-elle en cherchant elle aussi à comprendre ce qui a tué le monstre.

Vous poursuivez l'exploration de cette dangereuse grotte au chapitre 77.

56

Aussitôt que tu cliques sur cet icône, le tentacule lâche sa prise. Tu te réjouis, mais lorsque l'ordi se met à gronder comme une bête, tu t'écartes de lui.

GROOUUUU ! GRRRRR !

Dans ta chambre, tout se met à vibrer. Les couvertures et les draps de ton lit se soulèvent lorsque, au même instant, une ouverture béante apparaît à la place de l'écran et vous aspire tous les trois à l'intérieur.

FIOOOUUUUUU !

Tout se met à tourner autour de toi. Tes deux amis disparaissent dans des tourbillons. Tu tournes longtemps seul, comme ça, entre les dimensions. Le temps passe, les minutes, les heures et enfin les jours. C'est curieux, tu n'as pas faim. Tu n'éprouves non plus aucune soif. Tout finit par se calmer autour de toi. Tes deux pieds touchent la terre ferme. Il fait très noir ici. Tu aperçois une petite fenêtre de lumière au loin. Tu t'en approches. Derrière l'épaisse fenêtre, c'est ta chambre. Tu frappes avec tes deux poings, incapable de briser l'écran derrière lequel tu es prisonnier… SEUL !

FIN

57

Tu approches la main de la surface de l'écran. Tu avais raison, il n'y a plus de verre, et ta main pénètre à l'intérieur même de l'ordinateur. Tu sens des picotements, mais rien de plus. À l'intérieur, tu ne réussis pas à toucher à quoi que ce soit. L'écran est petit pourtant, ça te semble beaucoup plus vaste que cela ne le laisse croire.

Tu sors le bras et, comme un dompteur de lions, tu glisses la tête à l'intérieur. En effet, c'est très vaste. En fait, c'est un monde paisible que tu trouves de l'autre côté. Il y a des plaines, des montagnes et des rivières. Un beau village invitant est juché sur une magnifique colline verte... UNE AUTRE DIMENSION !

Tu sors maintenant la tête pour expliquer à tes amis ce que tu as vu. Jean-Christophe plonge la sienne pour voir lui aussi. MAIS C'EST UN PIÈGE ! Il est tout à coup aspiré à l'intérieur. Marjorie et toi, vous vous regardez. Avant que vous n'ayez le temps de vous éloigner, deux mains gigantesques vous attrapent par les pieds et vous tirent aussi vers... DES FLAMMES BLEUES !

FIN

58

Jean-Christophe tourne les talons et s'enfuit dans une des multiples galeries de la grotte.

« FAUT LE RATTRAPER ! » hurle Marjorie.

Vous courez en suivant ses traces de pas laissées dans la poussière sur le sol. Les marques laissées par ses espadrilles changent graduellement. Vous les suivez plus lentement, car maintenant, ces traces de pas ressemblent aux pistes d'une créature inconnue. Tu ranges ton désintégrateur, car tu ne pourrais certainement pas tirer sur ton ami, même s'il s'est transformé en monstre super hideux.

Par terre, les traces changent encore. On dirait maintenant des sillons laissés par des roues. Comment est-ce possible ? Plus loin, vous devrez contourner une curieuse machine qui ressemble en tous points à une machine à laver. Tu stoppes net lorsque tu aperçois ton nom sur le petit afficheur à cristaux liquides de l'étrange machine. Tout près d'un voyant lumineux, il y a deux yeux humains qui te fixent intensément... CE SONT LES YEUX DE JEAN-CHRISTOPHE !

Allez au chapitre 91.

59

Le colporteur s'éloigne de ta maison. Tu ouvres la fenêtre pour sortir. Marjorie te tire par le bras…

« T'as pas remarqué, mais t'es en pyjama et en pantoufles, te sourit-elle.

— Tu crois que j'ai le temps de me changer ? lui signales-tu. Si nous ne partons pas tout de suite, nous allons perdre sa trace. »

Vous sortez tous les trois pour le suivre. Il se dirige vers une camionnette. Cachés derrière un grand chêne, vous l'observez. Il ouvre la portière, fouille à l'intérieur du véhicule quelques secondes et en sort une grande boîte… UN AUTRE ORDINAPEUR !

Où va-t-il à cette heure-ci ? Il est passé minuit ! On ne dérange pas les gens comme ça au milieu de la nuit…

Il sonne à une porte. Est-ce que quelqu'un va venir lui ouvrir ?

Pour le savoir…

__TOURNE LES PAGES DU DESTIN…__

__Si elle s'ouvre, allez au chapitre 23.__
__Si personne n'ouvre la porte et ne lui répond, rendez-vous au chapitre 10.__

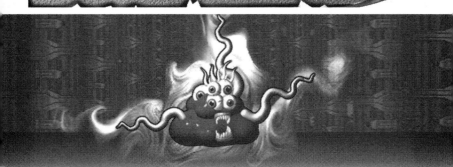

60

De retour près de ton ordi, Jean-Christophe te fait remarquer que maintenant, l'écran, qui tantôt affichait des icônes, grésille de curieuse façon.

Rends-toi maintenant au chapitre 51.

61

Dans ta chambre, l'ordinateur maléfique a étendu, comme une pieuvre, ses tentacules tout autour de lui. Peu à peu, il prend possession des lieux et transforme tout ce qu'il touche.

Tout est en train de changer. Pour commencer, ton armoire est maintenant devenue l'entrée d'une mystérieuse grotte dans laquelle résident sans doute tout plein de créatures redoutables et très dangereuses. INCROYABLE ! Ta commode, elle, où étaient rangés tes vêtements, a été transformée en une sorte de robot-gardien à trois têtes. Pourvu maintenant de pinces, il est prêt à attaquer quiconque voudrait couper l'alimentation de l'ordinateur.

Ton petit tapis, lui, a perdu toutes ses belles couleurs. Maintenant, il GRONDE et il est pourvu de deux appareils qui ressemblent à de petits moteurs à réaction. On dirait un tapis magique version électronique, prêt à emporter quiconque oserait y poser les pieds vers un lieu éloigné d'où on ne revient jamais !

Avec tes amis, tu dois agir vite avant que toute la maison ne tombe sous l'emprise de cet ordinateur démoniaque. Rends-toi au chapitre 4...

62

T'es du genre plutôt solide, mais cette horreur te lève le cœur. Tu la laisses encore s'approcher. Elle ouvre la bouche. Ce monstre bicéphale a des projets pour vous... TU APPUIES SUR LA GÂCHETTE...

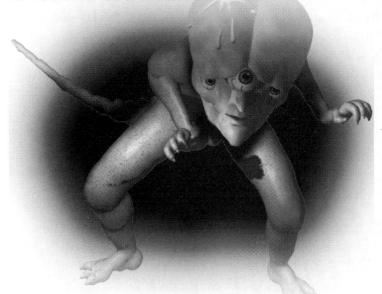

Vas-tu réussir à l'atteindre avec ton désintégrateur ? Pour le savoir...

TOURNE LES PAGES DU DESTIN ET VISE BIEN...

Si tu réussis à l'atteindre, rends-toi au chapitre 21.
Si par contre tu l'as raté, ZUT ! Va au chapitre 3.

Ton pied glisse sur la surface gluante du gros tube transparent, et tu tombes, entraînant dans ta chute tes deux amis avec toi. Tu fermes les yeux et tu serres les poings pour te préparer à l'impact. Une centaine de mètres plus bas, **SPLOUCH !** vous plongez dans une rivière souterraine. Tous les trois, vous nagez jusqu'à la rive. Heureux de n'avoir rien de cassé, vous vous souriez en examinant le grand trou duquel vous êtes tombés. TROP HAUT ! Complètement impossible de retourner par là. De l'autre côté de la rivière, tu aperçois la silhouette sombre d'un pêcheur qui attend patiemment, avec sa canne à pêche entre les mains, qu'un poisson morde à son appât.

« PARDON MONSIEUR ! crie Marjorie. La rivière, où conduit-elle ? »

Pas de réponse. Vous examinez attentivement le pêcheur, toujours immobile comme une statue. Il est tout gris et complètement recouvert… DE CENDRES VOL-CANIQUES ! L'eau de la rivière se met soudain à bouillir. Vous reculez. De la lave rouge et très chaude remplace la belle eau bleue. Vous vous retournez tous les trois lorsqu'un grondement terrible survient **GRRRRRRRRR !** Derrière vous, un volcan sous-terrain entre en éruption. Vous n'avez aucune chance de vous enfuir…

FIN

64

Jean-Christophe a beau tourner la poignée dans tous les sens, la porte ne veut pas s'ouvrir.

Il essaie de l'enfoncer d'un solide coup d'épaule, mais ça ne marche pas. Si ton ami Jean-Christophe, qui est plutôt costaud, ne peut pas enfoncer une porte, c'est parce que cette porte est blindée.

Pourquoi tant de précautions ? Que cache-t-elle ? Cela te frustre vraiment, en plus d'attiser encore plus ta curiosité.

Marjorie a réussi à dénicher un panneau électrique caché derrière une petite porte de métal. Tu tripotes tous les boutons, mais rien à faire, il n'y a que les lumières qui s'éteignent et se rallument. C'est vraiment dommage, cette porte qui ne veut pas révéler ses secrets. Peut-être que tu devrais y revenir… PLUS TARD !

Retournez au chapitre 4...

Tu observes à nouveau le panneau.

LE COMPTEUR ! Maintenant, il indique 19:08. S'agit-il d'un compte à rebours ? Te rappelles-tu ce qu'il indiquait au chapitre précédent ?

Si tu penses qu'il s'agit d'un compte à rebours qui déclenchera quelque chose de terrible, rends-toi au chapitre 6.

Si tu crois cependant que ce n'est qu'une horloge mal réglée, va au chapitre 83.

QUELLE CHANCE ! Vous avez réussi à semer les raptors.

Pendant que vous reprenez votre souffle, le sol se met à trembler…

« Qu'est-ce que c'est maintenant ? demande Marjorie, le visage inquiet. Un tyrannosaure ? »

NON ! C'est seulement la montagne là-bas qui se met à cracher de la lave…

UN VOLCAN !

Des boules de feu volent partout. Vous vous jetez par terre en vous couvrant la tête. Une grosse boule s'écrase près de toi et met le feu à ton jeans. Jean-Christophe éteint la flamme avec une poignée de sable. Le volcan gronde, et des rivières de lave coulent très vite dans la vallée. Des centaines d'arbres sont en feu. Vous courez, mais vous vous retrouvez vite entourés de bras de lave incandescente. PAR OÙ ALLEZ-VOUS PASSER ?

Vous escaladez rapidement une colline afin de mieux évaluer la situation au chapitre 72.

67

Marjorie réussit à se glisser dans l'ouverture qui était dissimulée derrière le tableau. Qu'est-ce qui se cache à l'autre bout de ce passage maintenant ?

Tu allumes les trois chandelles d'un chandelier et tu le remets à Marjorie. Aidé de Jean-Christophe, tu pousses le fauteuil brisé pour le remplacer par une table beaucoup plus solide.

Vous évoluez tous les trois dans l'étroit passage jusqu'au donjon du château. Cet endroit fortifié cache encore des canons pointés vers la forêt. Il y a des traces de pas récentes dans la poussière sur le plancher. Sur vos gardes, vous explorez les lieux. Un squelette couché sur un appareil de torture témoigne de la cruauté qui régnait à cette époque reculée. Dans sa main, le squelette tient encore solidement un bâton pourvu d'une curieuse boule d'ambre dans laquelle est emprisonnée… UNE PUCE ÉLECTRONIQUE !

Cette puce est âgée de milliers d'années ! Comment est-ce possible ? Ils ont réussi à clôner des ordinateurs vieux de milliers d'années ?

Allez au chapitre 16.

Tu conseilles très fortement à tes amis de bien mesurer leurs gestes, car cet endroit peut renfermer encore quelques malveillantes surprises.

Tu t'approches d'un des squelettes. Nul doute qu'il s'agit du roi, car il porte une couronne. À la place de pierreries, la couronne est constellée de transistors et de microprocesseurs anciens.

Ces étranges robots possédaient sans doute une peau comme la vôtre mais synthétique qui a disparu après toutes ces années. Ils ont un crâne et des os comme vous, mais en métal. Dans leurs orbites, tu remarques de petites caméras à la place des yeux. Avec d'infimes précautions, tu réussis à en extirper une. Elle est pleine de poussière, mais semble à la fine pointe de la technologie moderne.

« Cette caméra possède sa propre mémoire de stockage, dis-tu à tes amis. Il suffit de la brancher à un écran, et nous apprendrons peut-être quelque chose sur nos hôtes étranges… »

Placé sur la grande table, juste devant un des robots, un objet plat qui ressemble en tous points à un portable attire l'attention de Marjorie…

… au chapitre 101.

69

« NON MAIS, EN PARLANT D'ÉLECTRICITÉ, TU AS DES FILS QUI SE TOUCHENT DANS TON PETIT CERVEAU ? te répond-elle, pas d'accord du tout. Est-ce que tu crois qu'à chaque fois qu'une personne se fait frapper par la foudre elle se retrouve à une autre époque ? te demande-t-elle. Eh bien non ! Elle se retrouve à l'hôpital, grillée comme une rôtie…

— T'as une autre suggestion ? insistes-tu. De toute façon, nous ne pourrions pas survivre ici plus d'une journée. La terre appartient aux dinosaures, au cas où t'avais pas remarqué. Pour eux, nous ne sommes que de la bouffe…

— OK ! OK ! accepte-t-elle enfin. Je ne suis pas d'accord avec ton plan stupide, mais je vais le faire pareil. Mais je te préviens, poursuit-elle avec son index pointé vers toi. Si je meurs dans cet arbre, je ne te parle plus jamais… »

Juchés tous les trois dans l'arbre le plus haut de la forêt, vous attendez, les doigts croisés. Un foudroyant éclair jaillit d'un immense nuage au-dessus de vous et vous frappe de plein fouet. Vous êtes tous les trois…

… ramenés au chapitre 4.

De la substance gluante, tu retires avec dégoût la puce que tu crois être la pièce manquante et tu l'insères dans l'emplacement libre du circuit imprimé.

Tu t'écartes de la trajectoire de la porte qui, selon toi, va s'ouvrir. Mais à la place, à ton grand désarroi… LE PLANCHER SE DÉROBE SOUS TES PIEDS !

Tu tombes plusieurs mètres plus bas dans une pièce sombre. Tu te rends compte très vite que tu n'es pas seul ici, car ça bouge autour de toi.

« Marjorie ! Jean-Christophe ! demandes-tu timidement. Vous êtes-vous fait mal ? »

Pas de réponse ! Tu lèves la tête et tu aperçois tes deux amis restés là-haut — eux ne sont pas tombés dans le piège. Qu'est-ce qui rôde autour de toi alors ? Sur le qui-vive, tu fouilles la noirceur sans rien apercevoir. Une multitude de petites lumières s'allument partout. NON ! Ce sont les petits yeux brillants de bêtes cachées dans le noir. De petites dents très pointues te mordillent la cheville. Au-dessus de ta tête, la trappe se referme **BLAM !** et il fait soudain encore plus noir…

FIN

71

Très lentement, tu remets les fougères à leur place et tu regardes en direction de tes amis, qui ont le visage blanc comme un drap, tout comme toi.

Vous comprenez assez vite que vous n'êtes plus dans ta chambre, ni même à votre époque. La morsure électrifiante du monstre à trois têtes vous a propulsés des millions d'années dans la préhistoire. Autour de vous règne un silence total. Même les insectes se sont tus.

Tu cherches à comprendre par quel miracle vous êtes encore vivants. Tu attends de longues minutes avant de regarder une seconde fois derrière le bosquet de fougères. Il n'y a plus de raptors ! OÙ SONT-ILS PASSÉS ?

Au moment où vous vous levez, cinq raptors bondissent vers vous… VOUS COUREZ DANS LA DIRECTION OPPOSÉE ! Vont-ils réussir à vous attraper ? Pour le savoir…

TOURNE LES PAGES DU DESTIN…

Si par malheur ils vous encerclent et vous attrapent, allez au chapitre 87.
Si vous parvenez à vous enfuir, allez au chapitre 66.

72

Du haut de la colline, vous pouvez apercevoir toute la vallée qui est presque complètement ensevelie sous la lave. Il faut faire vite ! Trouvez-vous un chemin dans ce labyrinthe de lave avant qu'il ne soit trop tard…

Rends-toi au chapitre inscrit sur la voie qui, selon toi, te conduira hors de la vallée et du danger…

13

Tu tournes la manivelle et tu descends de quelques centimètres. SUPER ! Tu t'accroches au mur et tu déroules complètement le câble pour ensuite te laisser glisser jusqu'au plancher. Tu grimpes ensuite jusqu'au mécanisme de tes amis, que tu libères aussi.

Prochaine étape : savoir où vous êtes. Une porte s'ouvre d'elle-même en grinçant. CRIIIII ! Vous sursautez tous les trois. Est-ce un courant d'air qui a fait ça ? C'est à espérer…

Vous en franchissez le seuil. De l'autre côté, il y a un corridor très long bordé de dizaines de portes. Fouiller chacune d'elles vous prendra un temps fou ; vaut mieux commencer tout de suite.

Tu ouvres la première. Qu'est-ce qu'il y a derrière ? Un mur de briques. Marjorie ouvre la deuxième. Y a rien ! Pas de mur, pas de plancher, absolument rien.

Au tour de Jean-Christophe maintenant. Sera-t-il plus chanceux ? Il ouvre la troisième. Qu'est-ce qu'il y a derrière celle-ci ? UNE AUTRE PORTE ! Il l'ouvre elle aussi. Une autre encore. Il en ouvre une dizaine. Toutes les portes en cachent une autre.

Va rejoindre Marjorie au chapitre 19. Elle vient d'avoir une idée…

74

Malheureusement, la porte est verrouillée. Tu y colles encore une fois ton oreille afin de capter des bribes de la conversation : « Mmmmm ! Téméraires, grmm bbrrr capturer, frrtt et éliminer, mnnn... »

Tu en as assez entendu. Tu recules et tu tombes dans les bras de Jean-Christophe. Tu te retournes pour t'excuser, mais il ne s'agit pas de ton ami Jean-Christophe. C'est plutôt un zombie mécanique contrôlé par ondes radio par les personnes de l'autre côté de la porte. Tu essaies de t'éloigner, mais le zombie est doté d'une force incroyable et te retient sans difficulté.

Tous les trois, vous êtes capturés et emmenés dans une grande salle d'opération. Derrière un grand miroir, quelqu'un observe le travail des robots.

De longs bras mécaniques vous placent sur de grandes tables d'opération. Dans les heures qui suivront, vous subirez quelques petites modifications. Lorsque tout sera terminé, plus personne ne vous reconnaîtra... MÊME PAS VOUS !

FIN

75

Vous avez réussi à sortir de la vallée engloutie. Au loin, vous entendez les plaintes de dinosaures prisonniers dans la lave rougeoyante.

GROUUUUUUU ! GROOOUU !

Assis sur un tronc d'arbre écroulé, vous reprenez votre souffle. Comment allez-vous retourner à votre époque maintenant ?

Le ciel s'assombrit, un orage se prépare. Tu observes les gros nuages noirs chargés de pluie qui avancent vers vous.

« Il faudrait songer à trouver un abri, propose Jean-Christophe. Et vite ! »

En voyant au loin un éclair qui foudroie un arbre, il te vient une idée…

« NON ! J'AI UN PLAN ! expliques-tu à tes deux amis. C'est tout à fait le contraire qu'il faut faire. Il faut grimper à l'arbre le plus haut de la forêt et espérer que nous soyons, avec lui, frappés par la foudre. C'est l'électricité qui nous a conduits ici, et c'est elle qui nous ramènera à notre époque. »

Réaction de Marjorie à ce plan… CHAPITRE 69.

76

Timidement, vous vous placez tous les trois devant le miroir. Quelques secondes s'écoulent et… LE MIROIR SE BRISE ! **CRAAAC !** NON ! Est-ce que ça signifie sept années de malheur ?

Tu touches ton visage. Toutes les rides sont encore là. Partout sur ton corps, tu sens soudain de drôles de picotements. Est-ce bon signe ? NON ! Car votre peau devient toute verte, et des pustules apparaissent partout sur votre corps.

Les pustules se métamorphosent ensuite en petits cratères d'où jaillit du liquide gluant. Ces pustules font toutes sortes de bruits. **PRIIT ! BLOURB ! PSSSS !** Tu ne pensais jamais que ton corps pouvait faire des sons aussi dégoûtants.

Une mouche vole au-dessus de toi. Tu l'attrapes avec ta langue collante et tu l'avales.

« POUAH ! Qu'est-ce que je viens de faire ??? » t'exclames-tu, dépité.

Deux bonnes minutes viennent de passer. Il ne vous reste plus que six années, 364 jours, 23 heures et 58 minutes avant de retrouver votre apparence normale...

FIN

11

Cette rencontre avec le monstre bicéphale allergique au chocolat vous pousse à être vraiment sur vos gardes, et avec raison, car il pourrait y avoir ici d'autres de ces horreurs que l'on ne retrouve que dans les pires cauchemars…

Vous déambulez longtemps dans le réseau inextricable de galeries. Parfois, un étrange grondement de machinerie se fait entendre. Cependant, vous ne parvenez pas à en découvrir la provenance. Vous avez déjà entendu ce genre de bruit. Il s'agit d'un bruit de moteur qui actionne des courroies, et des roues dentées. Il y a aussi des poulies qui tournent comme sur les chaînes de montage de la manufacture de jouets de Sombreville que vous avez visitée avec ta classe. Mais ici, que fabrique-t-on ? DES ORDINAPEURS ?

Tu avances avec ça toujours en tête. Les câbles destinés à transporter les différentes composantes électroniques courent toujours le long des galeries de la grotte. À leur extrémité se trouve sans doute la réponse que vous cherchez.

Vous vous laissez guider par le plus gros amas enchevêtré de câbles jusqu'à une lourde porte au chapitre 98.

18

Tu double-cliques sur la clé. Elle tourne sur elle-même et va se placer dans le trou de la serrure. Tu croises les doigts. La clé tourne, mais l'écran de ton ordi devient tout rouge. CE N'EST PAS BON SIGNE ÇA !

Tu presses la touche ANNULER, mais ton doigt reste collé à la touche. Tu tires de toutes tes forces, et ton doigt reste toujours collé comme si tu avais mis de la super colle…

Ton index te fait terriblement mal maintenant. Tu le sens peu à peu se plastifier et devenir tout gris-vert. Des puces et des transistors apparaissent sur ta main. Quelques lampes témoins poussent comme des boutons sur ton front. Ta bouche s'étire, double puis enfin triple de dimension. Dans ta tête résonnent des cliquetis étranges. Un goût d'encre parcourt ta bouche. Tu es soudain surpris de constater que ta langue va de gauche à droite et qu'une feuille de papier sort graduellement de ta bouche. Ton ordi a écrit ces mots :

« Tu es désormais… UNE IMPRIMANTE VIVANTE ! »

FIN

Vous ouvrez la porte la plus éloignée, et derrière elle, enfin, il y a une salle. En plein centre, il y a deux miroirs. Un de ces miroirs a la propriété de vous faire retrouver votre jeunesse perdue. L'autre peut cependant vous transformer en quelque chose... D'INNOMMABLE !

Observe bien les deux miroirs et rends-toi ensuite au chapitre indiqué sous lequel tu crois être celui qui te fera retrouver ta jeunesse...

Pourquoi la porte conduisant au sous-sol est verrouillée, elle ? Elle s'ouvre au moyen d'un code. Si tu réussis à le déchiffrer, elle s'ouvrira...

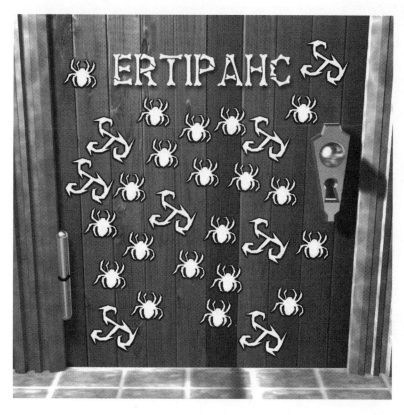

La porte s'ouvrira au chapitre 28 ou au 64 ? CHOISIS-SEZ !

81

Quatre créatures aux dents proéminentes se lancent à leur poursuite. Tu diriges tes amis le mieux que tu peux dans le réseau compliqué et tortueux d'un labyrinthe lugubre. Mais où est donc cette sortie de malheur ? Tu pianotes du mieux que tu peux sur les touches. Si au moins il y avait les foutues lettres sur les touches, ça serait un jeu d'enfant de gagner cette partie et de sortir tes amis de là.

Dans le labyrinthe, les monstres s'accumulent. On dirait que tu viens de passer au deuxième niveau. Avec beaucoup de chance et de doigté, tu réussis à semer tous les monstres. Tout à fait en haut de l'écran se trouve une porte bordée de colonnes. C'est peut-être la sortie. Tu y diriges tes amis. Aussitôt qu'ils sont entrés, l'écran devient tout noir, puis tes amis réapparaissent devant une créature gigantesque… LE MAÎTRE DU NIVEAU !

Derrière eux, la porte vient de se fermer BLAM ! La créature avance vers eux en se pourléchant les babines. Tu tapes nerveusement sur quelques touches, mais rien ne se produit… LE CLAVIER NE RÉPOND PLUS À TES COMMANDES !

FIN

82

L'entrée des catacombes est double.

Observe bien les lieux.
Ensuite, rends-toi au chapitre
que tu auras choisi.

Tu regardes tes deux amis en levant les épaules.

« Ce n'est qu'une horloge, leur dis-tu en t'éloignant du panneau. Poursuivons l'exploration de la grotte. »

Tu marches devant eux à pas mesurés. Dix-neuf minutes s'écoulent, et autour de vous tout devient de plus en plus sombre. Tu t'arrêtes pour retourner en arrière, mais il fait tout aussi noir. LE COMPTEUR ! C'était un compte à rebours. L'énergie électrique semble absorbée par ton ordinateur. L'écho de centaines de sonneries résonne. C'EST ASSOURDISSANT ! Les deux mains sur les oreilles, vous essayez de vous éloigner de ce vacarme. Devant vous, la voûte de la galerie s'effondre **BRRRRRRRR** ! La poussière t'entoure. Ça te fait tousser, mais au moins, tous les trois, vous n'avez rien. Il y a un grand trou au-dessus de vous, par lequel vous pouvez voir le ciel étoilé. Dans l'amas de roches tombées se trouve une cabine téléphonique. Le téléphone sonne continuellement. **DRIIIIIIIING** !

« MAIS RÉPONDEZ QUELQU'UN ! » gueule Marjorie, qui n'en peut plus d'entendre ce bruit.

Tu tends le bras et attrapes le combiné au chapitre 45.

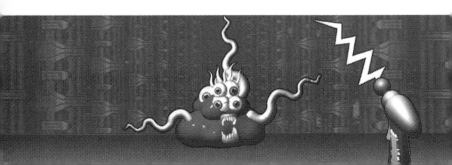

Puis, la porte s'ouvre avec fracas…

BLAAAAM !

« NON MAIS, QU'EST-CE QUE VOUS ME VOULEZ ? gueule le monstre. J'ai bien spécifié que je ne voulais pas être dérangé pour de stupides autographes lorsque je suis dans ma loge en train de répéter mes scènes…

— Votre loge ??? reprend Marjorie, éberluée. Quelle loge ?

— Vous êtes aveugles ? poursuit le comédien costumé en monstre. Et l'étoile avec mon nom inscrit dessus, vous ne l'avez pas vue ? » demande le comédien avant de vous fermer la porte au nez.

BLAAAAM !

Arrivent soudain près de vous deux agents de sécurité, écouteurs dans l'oreille.

« Nous avons trouvé les jeunes gens qui se sont introduits sans autorisation, Monsieur, crache un des agents dans un petit microphone accroché à son col. Nous les escortons jusqu'à la sortie. »

Expulsés tous les trois du site du tournage de « Le zombie du lycée », il ne vous reste plus qu'à marcher tous ces kilomètres jusqu'à chez toi, au chapitre 4.

Avec la paume de la main, tu te frappes la tête à plusieurs reprises...

« Réfléchis ! Réfléchis ! Réfléchis ! » murmures-tu.

Soudain, tu y penses...

« PAR COURRIEL ! »

CLIRC ! sur l'icône de la messagerie. Au moins, cet ordi de malheur collabore, bien ! Jusqu'à maintenant au moins. CLIRC ! sur « Nouvel envoi » et tape ton message de détresse : S.O.S. Gros problème d'ordre surnaturel. STOP ! Venez tout de suite. STOP ! Apportez le matériel ainsi que le désintégrateur. STOP ! DÉPÊCHEZ-VOUS ! STOP !

Ensuite, tu CLIRC ! sur « Envoi urgent »...

De longues secondes passent. Immobilisé par l'ordi, tu espères de tout cœur qu'au moins un de tes amis est encore debout et qu'il va recevoir ton message. Une petite porte s'ouvre toute seule sur le boîtier de l'ordinateur, CHLIC ! et te fait sursauter. Une tripe molle pourvue d'une ventouse à son extrémité va se coller à ta commode. Un dégoûtant liquide parcourt le viscère. Ta commode vibre et sous tes yeux... SE MÉTAMORPHOSE !

OUUUAH ! Va au chapitre 31.

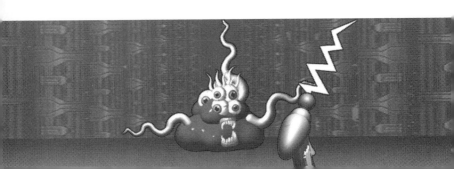

« Je vais vous présenter, commence à expliquer Mourabus, le magicien malicieux, ici même dans les catacombes, le tour qui m'a rendu célèbre : LE TOUR DU LAPIN DANS LE CHAPEAU… »

Vous vous regardez tous les trois.

« Le lapin dans le chapeau ??? fait Marjorie. C'est complètement dépassé ce tour, tous les magiciens d'autrefois l'exécutaient dans tous les spectacles.

— SILENCE DANS LA SALLE LORSQU'UN ARTISTE EXÉCUTE SON TOUR ! vous intime Mourabus. C'est un tour des plus délicats qui demande une grande concentration. »

Marjorie cache sa bouche et pouffe de rire.

Mourabus plonge la main dans son chapeau noir, prononce quelques paroles incompréhensibles et fait apparaître un énorme lapin noir… AVEC LA BOUCHE PLEINE DE GROSSES DENTS POINTUES !

Ce n'est pas de la rigolade, ce tour. Ce magicien fou vient de faire apparaître un lapin-carnivore. Mourabus fait ensuite claquer ses doigts, et une porte verrouillée avec plusieurs cadenas bloque maintenant la sortie des catacombes…

FIN

#7

Entouré de voraces raptors, tu récites une prière.

« Dieu, si je m'en sors, je promets de faire mes devoirs tous les soirs, commences-tu, les mains jointes. Je jure aussi de rentrer à la maison à l'heure convenue, aussi… »

Soudain, autour de vous, tout commence à s'élever. NON ! Rien ne s'élève, c'est vous qui vous enfoncez dans des sables mouvants. Les raptors sont intelligents et, voyant le risque qu'ils courent, préfèrent chercher des victuailles ailleurs.

Vous vous enfoncez jusqu'à la taille. Marjorie se démène, ce qui a pour effet de vous faire caler encore plus, toi et Jean-Christophe. Tu lui expliques que plus elle bouge, plus elle va s'enfoncer.

Vous attendez longtemps comme ça, immobiles, cherchant une solution. Soudain, la terre bouge. Est-ce un tremblement de terre ? C'est le volcan au loin qui entre en éruption et qui secoue la terre. Vous vous enfoncez tous les trois jusqu'à la…

FIN

BON ! Autour de vous, il y a des vieux meubles brisés, une grande bibliothèque aux tablettes effondrées et des tapisseries rongées par les mites, et pas le moindre ordinateur ou appareil électronique.

« Je ne crois pas que nous allons trouver ce que nous cherchons ici, suppose Jean-Christophe, et avec raison. Ce château semble inhabité depuis plusieurs siècles... »

Pourtant, au cœur du foyer crépitent quelques bûches, et personne ne s'en est rendu compte...

Tu avances vers une pile de livres par terre. Lorsque tu viens pour en saisir un, il tombe en poussières. Tu en soulèves un autre, qui semble en meilleur état, et tu l'ouvres. Les pages sont blanches ; il n'y a rien d'écrit. Tu palpes une page. Elle est couverte de petites bosses... C'EST DU BRAILLE !

La personne ou la créature qui habitait ce château était aveugle ou quelque chose du genre. Marjorie s'assure de la solidité d'un fauteuil de velours et ensuite grimpe dessus pour s'approcher d'un grand cadre recouvert de poussière...

... au chapitre 94.

89

Tu regardes la souris par terre quelques secondes puis enfin tu te décides à la ramasser. Par précaution, tu dévisses ses deux ailes raides. De cette façon, tu vas pouvoir mieux la contrôler.

Tu la tiens fermement et tu la déposes sur son petit tapis. Jean-Christophe, avec précautions, la rebranche puis s'éloigne vite. Sous tes doigts, elle gigote comme un animal qui cherche à s'enfuir. Le pointeur apparaît à l'écran. C'est bien parfait.

Tu cliques sur plusieurs icônes, mais rien ne se passe à l'écran. Dans ta main, la souris vibre, et ta main se met à grésiller comme l'écran d'un poste de télé mal réglé. Ensuite, c'est tout ton bras qui grésille et enfin tout ton corps. Des chiffres, des lettres et des icônes apparaissent partout sur ton corps, sur ton front, ton ventre, tes bras. Tu viens d'être transformé… EN ÉCRAN HUMAIN !

FIN

Tu poses le pied sur la première marche d'un très long escalier et tu t'arrêtes aussitôt. Marjorie cherche à comprendre ce que tu fais. Tu appuies sur un bouton-poussoir dissimulé dans le relief d'une colonne sculptée. Un moteur ronronne, et les marches de l'escalier montent lentement.

« Je suis doté d'une de ces intelligences, ce n'est pas croyable, te vantes-tu auprès de tes amis.

— Peut-être, mais tu n'es pas la seule personne comme ça, tu sais, réalise Marjorie. Qui donc a pu construire cet escalier mécanique à une époque aussi reculée ?

— La clé réside sans doute dans ce curieux sceptre à puce ancien », réfléchit Jean-Christophe.

Clé est le mot juste, car lorsque vous arrivez tout à fait en haut, vous voyez une grande porte très solide. Vous parvenez à l'ouvrir en insérant le sceptre dans une ouverture comme s'il s'agissait justement… D'UNE CLÉ !

Derrière cette porte, vous trouvez une grande table ovale autour de laquelle sont assis plus de vingt squelettes de robots poussiéreux au chapitre 68.

91

« POIL DE LOUP-GAROU ! s'exclame Marjorie, tout hébétée. Cette machine... C'EST MON FRÈRE ! »

Tu t'approches lentement pour toucher le couvercle. C'est froid, c'est du métal. Jean-Christophe a réellement été transformé en une sorte de machine à laver... Marjorie se tient la tête entre les mains et retient ses larmes. Sur l'afficheur, ton nom s'efface, et d'autres lettres apparaissent.

NE RESTEZ PAS PLANTÉS LÀ COMME DES IDIOTS, AIDEZ-MOI !

En conjuguant vos forces, vous réussissez à le pousser jusqu'à ta chambre. Le bruit des roues sur le plancher a alerté ta mère, qui arrive aussitôt. Comment vas-tu lui expliquer la présence de cette laveuse dans ta chambre ? Et puis comment vas-tu faire pour aider ton ami ? En fait, ça n'a aucune importance puisque, dans quelques heures, ton ordinateur aura pris possession de tous les gens de ton quartier et les aura tous transformés, ainsi que toi et Marjorie... EN RÉFRIGÉRATEURS, EN VIDÉOS, EN TÉLÉS...

FIN

Certain d'avoir choisi le bon icône, tu attends calmement, les bras croisés, que cette horreur de tentacule dégoûtant lâche ton cou. Une dizaine de secondes passent puis **SLOURP!** tu es libéré…

Tu attrapes ta souris et tu fouilles ton ordinateur jusqu'à ce que tu trouves un jeu que tu ne te rappelles pas avoir installé sur le disque dur : LA CRYPTE NOIRE. C'est peut-être la clé de tous tes problèmes. Tu décides de démarrer une partie.

Mais le jeu est protégé. Il faut un code ou une clé pour commencer une partie.

Tu observes attentivement la serrure avant de t'en aller au chapitre 46.

La respiration de la créature se fait de plus en plus rapide. Vous vous serrez l'un contre l'autre. Sa tête se tourne vers vous. Marjorie ferme les yeux et récite une prière muette.

Des **COUIC ! COUIC !** de roues mal huilées résonnent. Une grosse télé sur roulettes roule jusqu'à vous puis s'arrête. Elle est directement reliée à la tête de la créature par un gros tuyau contenant une matière gluante de couleur bleue. Le tube-image du poste grésille un peu, puis un horrifiant visage apparaît.

Du petit haut-parleur perforé vous provient ensuite une voix synthétisée :

« HUMAINS ! gronde-t-elle. Depuis des siècles j'attends, en état d'hibernation électronique, que votre technologie progresse pour enfin me libérer de cette prison de roches dans laquelle des mages m'ont enfermée. Votre ordinateur a été l'amorce de ma deuxième naissance. Maintenant, vous allez connaître la vraie signification du mot : ténèbres. VOUS ÊTES ÉNERGIE ! Je vais me connecter à vous et faire le plein... VOUS ÊTES ÉNERGIE ! »

Trois gros tentacules munis de ventouses dentelées descendent de la voûte juste au-dessus de votre tête...

Écartez-vous vite au chapitre 95.

Avec sa main, elle réussit à nettoyer la toile. Sous les couches de poussière et les toiles d'araignée se trouve le terrifiant portrait d'une créature sans yeux, sans nez et sans bouche. En fait… SANS VISAGE !

Allez au chapitre 104.

95

Comme des serpents, les tentacules vous pourchassent dans la grotte. Si seulement l'un d'eux réussit à se brancher à l'un de vous, la créature aura suffisamment de force pour se mouvoir et se déplacer. Là, vous n'aurez aucune chance contre elle.

Tu te penches lorsque le tentacule passe à un centimètre de ton nez. T'as vraiment l'impression que tout est sur le point de se terminer pour vous. Marjorie, acculée dans une crevasse de la grotte, lutte désespérément avec le deuxième tentacule qui vient de la cerner. Elle l'attrape à deux mains et tente de le retenir. Elle n'est cependant pas assez forte, et le tentacule s'approche de son front.

Jean-Christophe saisit une grosse roche et martèle de coups le gluant tentacule qui voulait se connecter à sa cheville. Du sang mauve gicle et éclabousse son visage. Le troisième tentacule danse devant toi. Il cherche l'endroit parfait pour se connecter à toi. Une immense stalactite est directement placée au-dessus de lui. Tu fais une série de clins d'œil à Jean-Christophe. Il attrape tout de suite une roche, fait une motion digne des plus grands lanceurs de base-ball et lance une prise en plein sur la stalactite, qui se détache de la voûte et va s'écraser sur le tentacule, qui s'apprêtait à te sauter dessus...

CRACHH ! *Au chapitre 100.*

96

La puce électronique que tu as choisie s'insère parfaitement dans l'emplacement libre du circuit imprimé. Avec tes amis, tu attends, immobile. La porte ne s'ouvre même pas d'un millimètre.

Il y a un bouton-poussoir. Peut-être que… Marjorie appuie sans réfléchir. Tous les trois, vous voilà pris de violents picotements. Tu veux te gratter, mais tout se met à tourner autour de vous. La tête te tourne ; tu fermes les yeux, car tu te sens très mal. Autour de toi, tout finit par se calmer. Tu ouvres les yeux. Où êtes-vous ? Il y a partout des plantes tropicales inconnues.

Tu en touches une et constates qu'elle est en plastique. Tu avances lentement jusqu'à ce que **BANG !** ta tête heurte violemment une grande vitrine faite d'un plexiglas incassable. De l'autre côté, un attroupement de petits robots écoute attentivement les commentaires d'un robot-guide :

« Poursuivons la visite du musée. Nous avons ici trois beaux exemplaires de l'espèce humaine, explique le robot-guide de sa voix de synthèse. Ces créatures régnaient sur Terre il y a plus de mille ans, bien sûr avant la domination de la Terre par nos vénérables ancêtres les ordinateurs. Nous devons la présence de ces spécimens dans notre beau musée à notre science avancée des portes temporelles installées un peu partout dans le passé… »

FIN

Le robot au visage presque humain parle, mais vous n'arrivez pas à saisir un seul mot. C'est une langue très étrange et totalement inconnue. À l'écran, vous apercevez des robots qui vaquent à leurs occupations, comme vous, les humains. Tu lances au portable la commande : STOP ! lorsque tu aperçois quelque chose qui ressemble à un calendrier sur un mur.

« ZOOM 100 FOIS SUR LE CALENDRIER À GAUCHE », cries-tu.

Sur l'écran apparaît clairement la date : 2312.

« 2312 ! lit Marjorie en cherchant à comprendre. Qu'est-ce que ça signifie ?

— C'est le futur ! en déduis-tu en étudiant l'image. C'est notre futur en plus. Ce sont non pas de simples robots, mais des humains modifiés, optimisés comme des ordinateurs. Nous en viendrons probablement à cela si nous continuons à mal nous nourrir et à négliger l'environnement. »

Vous poursuivez le visionnement jusqu'à ce que vous aperceviez des tubes de transport dans une pièce voisine qui vous ramènent comme par magie…

… dans ta chambre, au chapitre 4.

98

La lourde porte est solidement verrouillée. Vous cherchez la serrure, mais il n'y en a aucune. Il y a sûrement une autre façon de déverrouiller cette porte. Il s'agit de découvrir comment.

Examine la porte attentivement. Ensuite, rends-toi au chapitre 24.

« T'ES COMPLÈTEMENT MALADE ! crie-t-elle en s'écartant du chemin. Il n'est pas question que je touche à cette horreur. »

Jean-Christophe, lui qui n'a peur de rien, enfin pas de ce genre de petites bêtes, se jette par terre et attrape la longue queue du rat.

« BRAVO ! » lui cries-tu de l'autre bout de la galerie.

Mais le rat est très sale et même humide. La queue du rongeur glisse entre les mains de Jean-Christophe. Son visage se fige dans une expression de crainte lorsqu'il voit le rat s'arrêter juste devant le caillou placé sur le levier. Des sueurs perlent sur ton front, et il ne fait pas chaud ici. Se pourrait-il que ce rat soit intelligent à ce point ? La réponse vient vite lorsque tu aperçois le rongeur bondir et atterrir à quatre pattes sur le caillou CHLIC !

Des bruits grinçants de vieilles poulies rouillées résonnent aussitôt. Les plaques de pics mortels amorcent leur descente pendant que les grosses lames de scie vous poursuivent dans la galerie.

Vous courez comme des fous jusqu'à une échelle suspendue qui OUF ! vous ramène tous les trois à l'entrée de ton armoire, dans ta chambre, au chapitre 4.

100

Jean-Christophe et toi vous approchez l'un de l'autre pour vous taper dans les mains, mais vous vous arrêtez lorsque vous constatez que le tentacule qui s'en prenait à Marjorie... VIENT DE SE CONNECTER À SON FRONT !

NOOOOOOON !

Lentement, au centre de la grotte, la créature écarte ses longs bras engourdis par un long sommeil. Vous vous regardez tous les deux et courez vers Marjorie. À pieds joints, vous sautez sur le tentacule jusqu'à ce qu'il lâche prise. Marjorie, à demi évanouie, balbutie quelques mots :

« Je suis OK ! murmure-t-elle d'une voix presque éteinte. Tout va bien, merci...

— AH OUI ! TU DIS QUE T'ES OK ! tonne Jean-Christophe, incrédule. Alors dis-moi comment s'appelle notre perruche ?

— Gabou ! répond-elle, le visage hagard. Elle s'appelle Gabou... »

Jean-Christophe entre dans une colère noire, car ils n'ont jamais eu de perruche : Marjorie est complètement allergique aux plumes d'oiseau.

ÇA VA TRÈS MAL ! Va au chapitre 106...

1 01

Marjorie ouvre le couvercle et se réjouit lorsqu'elle aperçoit un petit écran à cristaux. Cependant, pas de clavier.

Vous branchez la petite caméra et cherchez un bouton. Il n'y en a pas. Tu soulèves l'appareil. Il n'y a rien en dessous non plus. Jean-Christophe tapote partout le portable.

« Allez, mets-toi en marche, espèce de cochonnerie ancienne, s'impatiente-t-il. ALLEZ ! »

L'écran soudain s'illumine…

« Qu'est-ce que tu as fait ? lui demandes-tu. Tu as appuyé sur un bouton caché ?

— Non, je l'ai seulement traité de cochonnerie, te répond-il en souriant. Tu crois que ce portable fonctionne aux insultes ?

— IDIOT ! lui lance sa sœur. Y a pas de clavier, donc c'est un portable très avancé à fonction vocale.

— LECTURE DE MÉMOIRE DE LA CAMÉRA ! » commande Marjorie en parlant très fort.

L'écran sautille un peu, puis apparaît le visage d'un robot au chapitre 97.

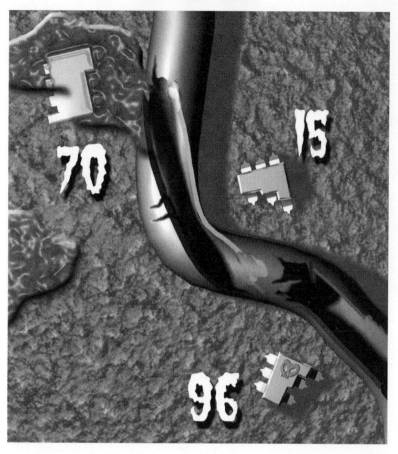

Rends-toi au chapitre inscrit près du composant que tu crois être la pièce manquante du système d'ouverture automatique de la porte.

103

Plusieurs kilomètres plus loin, c'est une forêt. Vous la survolez longtemps. Plus vous vous éloignez de la ville, plus il y a des arbres morts. Vous vous approchez de la zone interdite. Interdite parce qu'on raconte des choses. Combien de chasseurs se sont perdus dans la zone interdite ? Des centaines ? Les autorités n'ont jamais réussi qu'à retrouver leur équipement et leurs vêtements en lambeaux. Autour de leur campement, il y avait à chaque fois des centaines de douilles de fusil, comme si une bataille incroyable avait eu lieu, et à chaque fois, les chasseurs avaient perdu… Très loin devant vous, la grande silhouette sombre d'un château tranche le ciel bleu nuit. Encore plus loin, entourées d'une forêt impénétrable, sont enfouies pour l'éternité de très anciennes catacombes. Près du moteur à propulsion du tapis, vous n'avez pas remarqué qu'il y avait une manette de direction grâce à laquelle tu pourrais guider le tapis jusqu'au château. Vas-tu finir par l'apercevoir ? Pour le savoir…

TOURNE LES PAGES DU DESTIN…

Si tu réussis à apercevoir la manette de direction, rends-toi au château Morondus au chapitre 13.

Si par contre tu ne l'as pas vue, tu dois te laisser conduire jusqu'aux catacombes au chapitre 20.

104

Comme un détective, Marjorie examine attentivement les contours du tableau et découvre des pentures. Le tableau cache une porte. Lentement, elle tire le tableau, qui pivote vers elle. Des toiles d'araignée s'étirent puis se brisent. Elle s'écarte de la trajectoire afin d'ouvrir complètement le tableau, mais à ce moment, un des pieds du fauteuil émet un craquement **CRAC !** Est-ce que le fauteuil va tenir le coup ou est-ce que le pied va complètement se briser et céder? Pour le savoir, mets un signet à ce chapitre, ferme ton Passepeur et dépose-le debout sur une surface plane devant toi.

Si ton livre tient debout dix secondes sans tomber, eh bien le pied du fauteuil va tenir le coup, le temps que Marjorie se glisse dans l'ouverture cachée derrière le tableau qui se trouve au chapitre 67.

Si cependant ton Passepeur tombe avant que les dix secondes se soient écoulées, alors là, le pied du fauteuil vient de se briser, et Marjorie fait une mauvaise chute au chapitre 49.

105

Les talons sur le bord du gouffre, les pieds dans le vide, tu pousses un FIOU ! car ton ami vient de te sauver d'une chute qui t'aurait été probablement fatale.

Bon, maintenant, comment allez-vous traverser cet obstacle ? En marchant sur un des gros câbles comme des funambules, c'est la seule façon. Mais en es-tu capable ? Pour le savoir, mets ton signet ici pour ne pas perdre ta page, ferme ton Passepeur et pose-le debout dans ta main ouverte.

Si tu es capable de faire trois pas en gardant ton livre en équilibre dans ta main, tu as réussi, comme un funambule, à traverser le câble jusque de l'autre côté du gouffre. Rends-toi alors au chapitre 53 afin de poursuivre ton aventure.

Si cependant ton livre est tombé avant que tu n'aies pu faire trois pas, tu chutes dans l'abîme du gouffre au chapitre 63.

106

S'il y a une chose que Jean-Christophe déteste, c'est qu'un monstre mette ses sales tentacules sur sa sœur. Il se lève d'un seul trait, attrape le tentacule et fonce vers la créature qui s'apprêtait à se lever.

Marjorie dans tes bras, tu observes la scène. Jean-Christophe hurle comme un Sioux et escalade le dos du monstre pour finalement planter le tentacule au beau milieu de son front...

« TIENS, SALE CRÉATURE ! hurle-t-il, debout sur la tête du monstre comme un conquérant du haut d'une très haute montagne. TU PEUX TÉTER TA PROPRE ÉNERGIE VITALE ! »

La créature sans bouche hurle de l'intérieur de façon caverneuse puis s'effondre dans un amas de glu puante. Jean-Christophe, au beau milieu de la mare dégoûtante, vous regarde en souriant. Ses vêtements sont tout tachés, mais il est tout de même content de lui avoir réglé son compte, à ce monstre. Tu aides Marjorie à se relever. Elle peut se tenir debout toute seule maintenant. Jean-Christophe s'approche d'elle.

« Et puis, petite sœur, lui demande-t-il doucement. Tu vas bien ?

— Très très bien, souffle-t-elle encore, un peu
étourdie. Je blaguais tantôt, je sais bien que nous
n'avons pas de perruche nommée Gabou. Je disais
des niaiseries, juste pour le fun, pour te taquiner un
peu... MATHIEU !

— QUOI ! MAIS JE NE M'APPELLE PAS
MATHIEU ! »

FÉLICITATIONS !
Tu as réussi à terminer
L'ordinapeur

4 JEUX PÉRILLEUX

IL FAUT QUE TU SACHES ! Si tu oses tricher à ces petits jeux démoniaques, tu subiras la pire des malédictions. Il te poussera des poils sur les dents, et des yeux vont apparaître sous tes ongles d'orteil. Enfin, des tas de trucs épouvantables jusqu'à ce que tu sois complètement transformé en monstre hyper dégoûtant. NE DIS PAS QUE JE NE T'AI PAS PRÉVENU...

TROUVE-TOI UN CRAYON, ET À L'ATTAQUE...

LA VICTIME CACHÉE

Tous les monstres, créatures et autres dangereux individus du quartier sont à la poursuite de cette personne. Ils hanteront les rues de Sombreville sans relâche jusqu'à ce qu'ils assouvissent leur soif de vengeance...

ET DE SANG ! Mais qui est donc cette pauvre personne ?

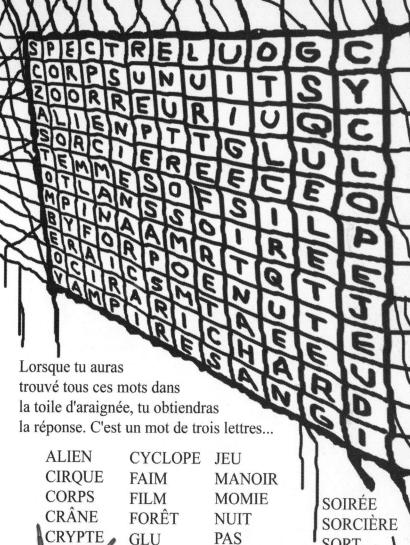

Lorsque tu auras
trouvé tous ces mots dans
la toile d'araignée, tu obtiendras
la réponse. C'est un mot de trois lettres...

ALIEN   CYCLOPE   JEU

CIRQUE   FAIM   MANOIR

CORPS   FILM   MOMIE

CRÂNE   FORÊT   NUIT   SOIRÉE

CRYPTE   GLU   PAS   SORCIÈRE

       GOULE   PASSEPEUR   SORT

                 RICHARD   SPECTRE

HANTISE   QUI   SQUELETTE

RÉPONSE   TOMBE

             PROF   VAMPIRE

             SANG   ZOORREUR

MORCEAUX ARRACHÉS

AH NON ! Une créature enragée a découpé avec ses griffes meurtrières quelques illustrations de ton livre Passepeur. Ouvre tes trois yeux et identifie les chapitres auxquels appartiennent ces bouts d'image...

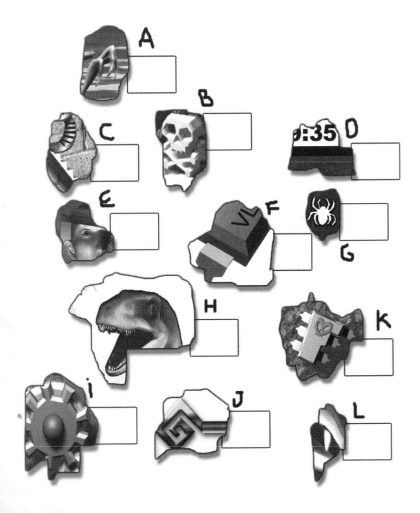

MIROIR ! GRRR ! MIROIR ! GRRRR ! DIS-MOI QUI EST LE PLUS BEAU ?

« En tout cas, ce n'est pas toi ! » répond le miroir, infidèle à ce pauvre monstre.

Il y a sept différences entre le monstre et son reflet dans le miroir. CHERCHE BIEN ! Le miroir est craquelé, ça ne sera pas facile...

LA LANGUE
DES SORCIÈRES

ATTENTION ! Tripoter le grimoire d'une sorcière pourrait avoir de très fâcheuses conséquences. Les pages pourraient être empoisonnées, et la couverture faite d'une peau d'animal inconnu pourrait te transmettre une maladie terrible. Ici, il n'y a que quelques lettres, mais vaut mieux être prudent...

Essaie de décoder les mots de cet étrange rituel...

a - ૨	j - ⍥	S - R
b - ꝛ	k - Ꭰ	t - ૨
C - з	l - ᖯ	U - ⅈ
d - ꝋ	m - ⍵	V - ⅃
e - ᴈ	n - ч	W - Ꙅ
f - ꝋ	O - ✗	X - ᗷ
g - ✗	p - ч	y - ⅃
h - ✝	q - ᒀ	Z - ᴨ
i - !	r - ›	

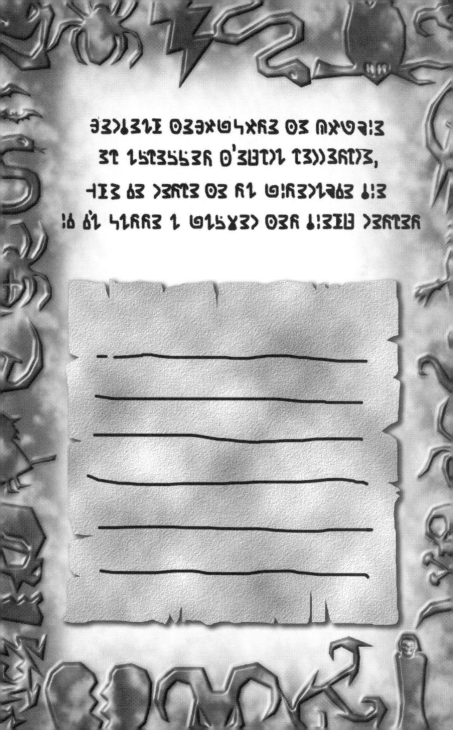

LES SOLUTIONS

LA VICTIME CACHÉE

C'EST TOI ! Oui, toi. Trouve une meilleure cachette, sinon...

MORCEAUX ARRACHÉS

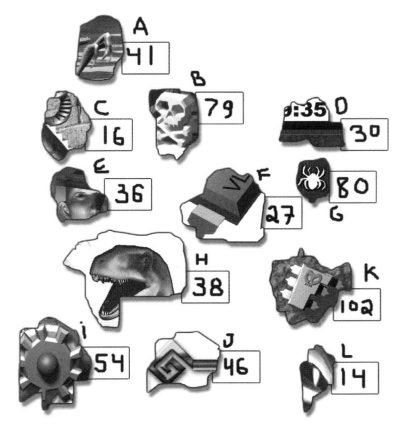

MIROIR ! MIROIR !

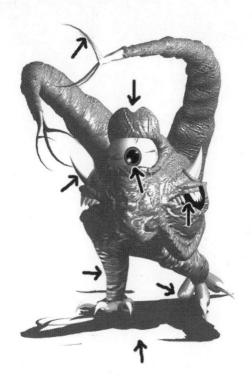

LA LANGUE DES SORCIÈRES

Cerveau décomposé de zombie et
antennes d'extraterrestre,
que le reste de sa misérable vie,
il la passe à manger des vieux restes...

L'ORDINAPEUR

OUAIS ! Il est complètement débile cet ordinateur au processeur à intelligence artificielle. Trop même ! Car cet ordi, au boîtier très bizarre, qu'un marchand ambulant tout aussi étrange a vendu à ton père, va contrôler absolument tout dans ta chambre. TOUT ! Même toi…

UN LIVRE PALPITANT QUI SE JOUE À LA FAÇON D'UN JEU VIDÉO…

Oui, ce livre n'est pas qu'un simple livre… C'EST TON AVENTURE ! Et dans ton aventure, c'est toi qui décides du déroulement de l'histoire. ATTENTION ! Ce livre contient aussi un jeu original qui pourrait transformer ton histoire en vrai cauchemar… LE JEU DES PAGES DU DESTIN !

Il y a 22 façons de finir cette aventure, mais seulement une finale te permet de vraiment terminer… *L'ordinapeur.*

LIRA BIEN QUI LIRA LE DERNIER…

www.boomerangjeunesse.com
info@boomerangjeunesse.com

VOTRE PASSEPEUR

POUR UN HORRIBLE CAUCHEMAR

NO 27

LE TEMPLE KÔCHEMORT

LE TEMPLE KÔCHEMORT

Texte et illustrations
de
Richard Petit

TOI!

Tu fais maintenant partie de la bande des
TÉMÉRAIRES DE L'HORREUR.

OUI ! Et c'est toi qui tiens le rôle principal dans ce livre où tu auras bien plus à faire que de tout simplement... LIRE. En effet, tu devras déterminer toimême le dénouement de l'histoire en choisissant les numéros des chapitres suggérés afin, peut-être, d'éviter de basculer dans des pièges terribles ou de rencontrer des monstres horrifiants.

Aussi, au cours de ton aventure, lorsque tu feras face à certains dangers, tu auras à jouer au jeu des **PAGES DU DESTIN...** Par exemple, si dans ton aventure tu es poursuivi par une espèce de monstre dangereux et qu'il t'est demandé de TOURNER LES PAGES DU DESTIN afin de savoir si ce monstre va t'attraper, la première chose que tu dois tout de suite faire, c'est placer ton doigt tout tremblotant ou un signet à la page où tu es rendu, car tu auras à y revenir. Ensuite, SANS REGARDER, tu laisses glisser ton pouce sur le côté de ton Passepeur en faisant tourner les feuilles rapidement pour finalement t'arrêter AU HASARD sur l'une d'elles.

Maintenant, regarde au bas de la page de droite. Il y a trois pictogrammes. Pour savoir si le monstre t'a attrapé, il n'y en a que deux qui te concernent,

celui de l'espadrille et celui de la main.

Pour le moment, tu ne t'occupes pas des autres. Ils te serviront dans d'autres situations. Je t'explique tout un peu plus loin.

Comme tu as peut-être remarqué, sur une page, il y a une espadrille, et sur la suivante, il y a une main et ainsi de suite, jusqu'à la fin du livre. Si, par chance, en tournant les pages du destin, tu t'arrêtes au hasard sur le pictogramme de l'espadrille, eh bien bravo ! tu as réussi à t'enfuir. Là, retourne au chapitre où tu étais rendu. Il t'indiquera le numéro de l'autre chapitre où tu dois aller pour fuir le monstre. Si tu es le moindrement malchanceux et que tu t'arrêtes sur le pictogramme de la main, eh bien, le monstre t'a attrapé. Là encore, tu reviens au chapitre où tu étais, mais tu auras par contre à te rendre au chapitre indiqué où tu tomberas entre les griffes du monstre.

Lorsqu'on te demandera de TOURNER LES PAGES DU DESTIN, tu n'utiliseras, selon le cas, que les DEUX pictogrammes qui concernent l'événement. Voici les autres pictogrammes et leur signification...

Pour déterminer si une porte est verrouillée ou non :

 Si tu tombes sur ce pictogramme-ci, cela signifie qu'elle est verrouillée ;

 si tu t'arrêtes sur celui-ci, cela signifie qu'elle est déverrouillée.

S'il y a un monstre qui regarde dans ta direction :

 Ce pictogramme veut dire qu'il t'a vu ;

 celui-ci veut dire qu'il ne t'a pas vu.

En plus, pour te débarrasser des monstres que vous allez rencontrer tout au long de cette aventure, tu pourras utiliser une arme super *COOL*, votre « zigotron ». Cette arme va vous être très utile. Cependant, pour atteindre les monstres qui t'attaquent avec cette arme puissante, tu auras à faire preuve d'une grande adresse au jeu des pages du destin. Comment ? C'est simple : regarde dans le bas des pages de gauche, il y a un petit monstre, ton zigotron et le rayon destructeur lancé par ton arme.

Le petit monstre représente toutes les créatures que tu vas rencontrer au cours de ton aventure. Plus tu t'approches du centre du livre, plus le rayon destructeur se rapproche du monstre. Lorsque justement, dans ton aventure, tu fais face à une créature malfaisante et qu'il t'est demandé d'essayer de l'atteindre avec ton zigotron pour l'éliminer, il te suffit de tourner rapidement les pages de ton Passepeur en essayant de t'arrêter juste au milieu du livre. Plus tu t'approches du centre du livre, plus le rayon destructeur se rapproche du monstre. Si tu réussis à t'arrêter sur une des cinq pages centrales du livre portant cette image,

eh bien, bravo ! tu as visé juste et tu as réussi à atteindre de plein fouet la créature qui te cherchait querelle et, de ce fait, à t'en débarrasser. Tu n'as plus qu'à suivre les instructions au chapitre où tu étais rendu, selon que tu l'as touchée ou non.

Si tu atteins l'une des dix-sept mauvaises fins, tu peux recommencer ton aventure directement au chapitre 4 et essayer à nouveau...

Ta terrifiante aventure débute au chapitre 1. Et n'oublie pas : une seule fin te permet de terminer... *Le temple Kôchemort*, celle du chapitre 119...

1

Les bras pleins de friandises et de sacs de maïs soufflé, tu descends maladroitement l'allée jusqu'à la quatrième rangée, où t'attendent tes amis Marjorie et Jean-Christophe.

— MAIS OÙ ÉTAIS-TU PASSÉ ? te demande Marjorie, qui commençait à s'impatienter. Le film est sur le point de commencer. J'ai cru un instant que tu t'étais éclipsé avec toute la cargaison...

— OUI ! cargaison, le mot est juste, te plains-tu à eux. Ce n'est pas possible de s'empiffrer autant en regardant un film. Un jour, toutes ces cochonneries vont vous tuer ou vous allez devenir des super grosses personnes, j'en ai bien peur.

— TUT ! TUT ! TUT ! de quoi tu parles ? t'arrête Jean-Christophe. Passe-moi mon « conteneur » de maïs soufflé triple beurre et mon baril de cola au melon d'eau, s'il te plaît...

Tu te sens tout à coup moins lourd.

— Est-ce que toi, tu t'es acheté des carottes et une tisane ? te demande Jean-Christophe pour se moquer.

— PFOU ! fais-tu en t'assoyant à côté de Marjorie.

— Tu sais que ton frère me tombe sur les nerfs, des fois !

— DES FOIS ! répète-t-elle en croquant dans sa tablette de chocolat. Moi, c'est tout le temps...

Tu te rends au chapitre 42.

2

L'escalier prend une dangereuse tangente vers la gauche, et vous vous retrouvez, tous les trois, en train de marcher à la verticale sur un mur.

Tu ne peux pas t'empêcher de rire…

— ARRÊTE ! te supplie Marjorie. Tu vas nous faire remarquer…

Des crânes et des ossements blanchis jonchent les marches. Ça devient sérieux. Tu pointes le zigotron devant toi et tu avances sur la pointe des pieds. Dans un autre escalier, vous apercevez une créature sombre qui marche le dos courbé. Elle s'arrête lorsqu'elle aussi vous aperçoit. Elle se pourlèche les babines et rebrousse tout à coup chemin…

— Ce n'est pas une bonne nouvelle, ça ! lance Marjorie en empoignant ton chandail.

Des pas résonnent tout près, et la créature réapparaît, toutes griffes tendues, juste devant vous.

Sans attendre, tu pointes ton zigotron et tu tires. Vas-tu réussir à la pulvériser ?

Pour le savoir… TOURNE LES PAGES DU DESTIN !

Si tu réussis à l'atteindre, rends-toi au chapitre 8.
Si par contre tu l'as ratée, va au chapitre 115.

3

Lorsque tu as englouti ta cuillère dans la marmite, tu as eu la très dégoûtante impression que quelque chose était encore vivant dans le ragoût…

Tu ramasses, avec la cuillère, une pièce de viande parsemée de poils, d'origine indéterminée, et un morceau de légume que tu n'as jamais vu à l'épicerie.

Tu soulèves la cuillère sous ton nez, sous les regards horrifiés de tes amis…

— Tu es vraiment téméraire, je dois te le concéder, te dit Marjorie, la main posée sur sa bouche.

Tu avales tout le contenu de la cuillère et tu fais une moue pour laquelle tu mériterais certainement le premier prix à un concours de grimaces. Tout d'abord, aucun changement ne s'opère en toi, c'est très bon signe. Mais tout à coup, ton corps devient transparent et tu disparais sous les yeux de tes amis.

Tu te sens tourner entre les étoiles, ou des petites lumières de Noël, tu ne vois pas très bien…

Vers le chapitre 73.

Rends-toi au chapitre inscrit sur le portail que tu veux traverser...

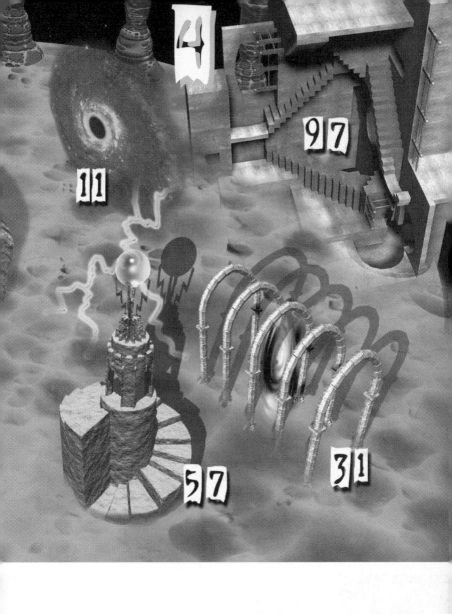

Alors que vous êtes à mi-chemin dans le salon, le chat lève la tête et campe son regard de prédateur dans votre direction… IL VOUS A APERÇUS ! Vous redoublez la cadence, mais le chat bondit comme un tigre et atterrit juste devant toi.

Rends-toi au chapitre 83.

104

44

Rends-toi au chapitre 104 ou 44.

7

Après être allé au bout de tout ce qui existe, tu reviens et aperçois de nouveau les planètes du système solaire. Combien de temps s'est-il écoulé depuis votre départ ? DES SIÈCLES ? Vous êtes maintenant dans le futur ? Dans le passé ? Vous avez abouti dans une dimension parallèle ? Vous obtiendrez les réponses à ces questions lorsque vous reviendrez sur la Terre, qui, justement, est là devant vous… Elle est cependant changée; elle n'est plus bleue, mais plutôt verdâtre et entourée de nuages très sombres…

Vous traversez son atmosphère et atterrissez exactement à votre point de départ. Le temple n'est plus là, par contre. Autour de vous, il y a des gens bizarres qui déambulent avec leurs enfants entre des rangées d'étagères. Ils ont l'air vraiment étrange. Tu t'approches d'un réfrigérateur et tu remarques tout un assortiment de viandes… HUMAINES ! Jean-Christophe a lui aussi remarqué où vous aviez abouti…

— C'est un supermarché pour monstres et créatures ! Il faut sortir d'ici au plus vite, murmure-t-il tout bas lorsqu'il aperçoit une famille de bizarres qui s'approche de lui…

Courez vers le chapitre 13.

ZRAAAAK ! En plein dans le mille…

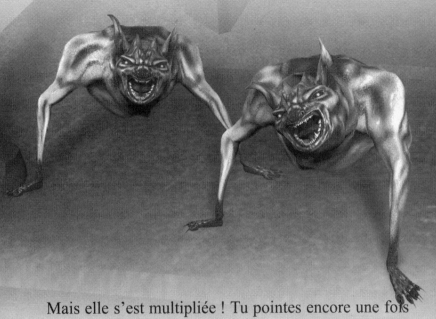

Mais elle s'est multipliée ! Tu pointes encore une fois ton zigotron et tu tires de nouveau. Vas-tu réussir à l'atteindre une deuxième fois ?

*Pour le savoir… **TOURNE LES PAGES DU DESTIN !***

Si tu réussis à l'atteindre, rends-toi au chapitre 46.
Si par contre tu l'as ratée, va au chapitre 115.

COMME C'EST CURIEUX ! Plus vous vous approchez du temple et plus le ciel s'assombrit... Juste au-dessus de l'édifice, les nuages tournent en spirale.

Il faisait pourtant un ciel radieux il y a à peine quelques secondes. C'est comme si le temple avait été prévenu de votre arrivée et réagissait à votre approche...

Tu montes les marches de l'étrange construction rougeâtre. Lorsque tu passes entre deux colonnes transparentes, tu remarques qu'elles contiennent un curieux liquide rouge qui bouillonne. Tu oses espérer qu'il ne s'agit pas de sang. Les lourdes portes en bois s'ouvrent lorsque tu poses le pied près d'elles. Tu t'arrêtes et tu regardes tes amis. Marjorie te donne son zigotron, et tu pénètres à l'intérieur en premier. Le temple semble être constitué d'une seule mais très grande salle. Tu examines les alentours : il n'y a personne sauf vous trois. Neuf portails vers autant d'autres dimensions s'offrent à vous. Tu es tout d'abord tenté de prendre la dixième option, c'est-à-dire la porte par où vous êtes entrés, mais tu te ressaisis...

... et tu choisis la voie vers le chapitre 4.

Rends-toi au chapitre 81.

11

Cette grande spirale qui tourne dans les airs comme ça te rappelle quelque chose que tu as déjà vu à la télé dans une émission scientifique : UN TROU NOIR ! Une espèce de truc hyper gigantesque que l'on ne retrouve habituellement que dans l'espace et qui peut faire disparaître des galaxies complètes. OUAIS ! d'accord… Il y a un certain risque, mais *qui ne risque rien dans la vie n'a jamais rien non plus*, enfin, le dicton ressemble à quelque chose de ce genre-là…

Tu es peut-être sur le point de faire un long voyage interstellaire, mais tu prends tout de même une grande inspiration et tu fonces vers la spirale. Tu ressens tout d'abord un grand froid, comme lorsque tu plonges dans une piscine. Ensuite, tu te sens tourner comme lorsque… NON ! Ça, tu n'as jamais fait ça ! Tu n'as jamais sauté à l'intérieur d'une lessiveuse…

Autour de toi, tu reconnais : Mars, Jupiter, Saturne, Uranus, Neptune et finalement Pluton…

Les étoiles passent si rapidement qu'elles s'étirent et font des lignes blanches dans le ciel noir…

À la vitesse d'une météorite, tu files vers le chapitre 7…

12

Vous reculez jusqu'au chapitre 77.

13

Vous vous glissez dans une autre allée en cachant votre visage. Là, un couple de loups-garous vous a aperçus et se lance à votre poursuite. Vous détalez à toute vitesse vers la sortie.

Dans le tourniquet, vous demeurez tous les trois prisonniers quelques secondes avant de pouvoir vous libérer et partir dans le grand centre commercial. Autour de vous, il y a, là aussi, des centaines de monstres et de créatures qui font leur shopping. La terre n'est maintenant peuplée que par des créatures des ténèbres. Voilà votre réponse : vous avez abouti dans une autre dimension, une dimension dans laquelle le mal a finalement vaincu le bien pour prendre possession de la planète…

Vos chances de survivre dans ce monde cruel et dangereux sont plus que minimes. VOUS DEVEZ REVENIR TRÈS VITE DANS LA BONNE DIMENSION ! Mais comment faire, et où trouver un portail ?

— Nous n'avons pas le choix ! vous dit Marjorie, certaine de ce qu'elle avance. NOUS DEVONS EN CONSTRUIRE UN NOUS-MÊMES !

Dirigez-vous discrètement vers le centre de bricolage au chapitre 15.

14

Tu te mets tout à coup à frissonner sans pouvoir t'arrêter, comme si quelqu'un venait d'ouvrir deux portes et qu'un courant d'air froid s'était engouffré dans la salle. Tu jettes un regard derrière toi, dans le coin. La silhouette étrange a disparu…

Sur l'écran, l'image change…

LES CICATRICES DE TON CAUCHEMAR

Tu sens une présence juste derrière toi…

Retourne-toi au chapitre 36.

15

Le grand centre de bricolage du mail offre à tout bon bricoleur le matériel nécessaire pour construire tout ce qu'il désire : son propre cercueil, son propre monstre de Frankenstein, votre potence à vous, des appareils de torture, etc. Vous vous promenez dans les allées. Effectivement, tu es étonné de voir tout ce que tu peux construire ou fabriquer…

Une grande créature des marais, qui agit à titre de préposé au client, vous a aperçus et se lance à votre poursuite, toutes dents sorties. Vous tournez les talons et partez à courir dans la direction opposée. Est-ce que cette créature va vous attraper ?

Pour le savoir… TOURNE LES PAGES DU DESTIN !

Si elle vous attrape, dirigez-vous vers l'allée des outils au chapitre 18.
Si la chance est avec vous et qu'elle ne vous attrape pas, rendez-vous au chapitre 26, dans l'allée où vous trouverez tout ce qu'il vous faut pour construire votre propre… PORTAIL !

17

Une douleur atroce au mollet droit te force à arrêter de courir. Tu baisses la tête. Le chien difforme n'est plus là, il court maintenant derrière Marjorie. Comme si tu venais d'être mordu par un vampire, tu sens des changements s'opérer en toi. Ton poil pousse partout sur ton corps et tu as le goût, tout à fait indépendant de ta volonté, de marcher à quatre pattes. OUI ! cette morsure vient de te transformer, toi aussi, en chien mutant, mais tu as toute ta tête, c'est toujours cela…

Tu lèves ta nouvelle tête en direction de Marjorie. Le gros chien difforme est sur le point de l'atteindre, et tu ne peux pas laisser faire ça. Tu galopes à quatre pattes et tu parviens à lui happer la queue avec ta grande mâchoire garnie de dents acérées. Un combat sans merci s'engage entre lui et toi, combat que tu remportes haut la main…

Marjorie et Jean-Christophe t'ont reconnu malgré ton épaisse fourrure et ils te ramènent à la maison. Le lendemain, le vétérinaire ne peut que conseiller à tes amis de bien s'occuper de toi et de te faire faire des marches quotidiennes dans le parc…

Peut-être qu'un jour tu parviendras à t'habituer à ta nouvelle vie… DE CHIEN MUTANT !

FIN

18

Vous courez comme des malades jusqu'à ce que vous soyez complètement à bout de souffle. Derrière, tu n'entends plus le pas lourd de la créature. Tu penses bien avoir réussi à la semer entre les allées…

Autour de vous, il y a tout plein d'outils : des perceuses de crânes, des sableuses de peau, des scies à ossements…

VRRRRRRRRR ! VRRRR ! MAIS QU'EST-CE QUE C'EST QUE CE BRUIT ? AH ! ils ont aussi des tronçonneuses !

VRRRRRRRRR !

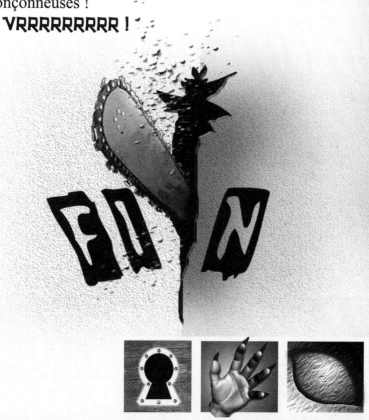

19

C'est le grand chaudron, semblable à celui d'une sorcière, qui a le plus attiré ta curiosité…

Un feu de bois brûle sous lui. Une vapeur verdâtre émane d'un liquide qui bouillonne. Vous vous approchez avec précaution. Des légumes inconnus et des carcasses d'animaux flottent. Ce curieux ragoût pourrait couper l'appétit même au plus affamé...

Marjorie se questionne :

— Cette marmite n'est pas un portail. Qu'est-ce qu'elle fait ici, parmi les autres ?

— SI ! lui réponds-tu alors que tu viens de tout piger. C'est en effet un portail, un portail que nous ne pouvons pas traverser, mais plutôt goûter.

Tes amis te regardent d'un air absolument très dégoûté…

— TU EN AS LA CERTITUDE ? te demande Jean-Christophe, le visage toujours en grimace.

— Dites-moi, est-ce que je me trompe souvent ?

— TOUT LE TEMPS ! te répond catégoriquement Marjorie. Tous les jours, et c'est toujours nous qui en faisons les frais…

Prends la grande cuillère accrochée à la marmite et rends-toi au chapitre 112.

20

La musique s'intensifie. Tu ne peux presque plus respirer…

Va au chapitre 51.

21

ZRAAAAK ! En plein dans le mille…

La créature se retrouve en pièces détachées…

Tu souffles sur le canon de ton arme comme le font les cow-boys dans les films. Jean-Christophe gravit le monticule, question d'observer au loin. Il aperçoit un sentier sec, hors de l'eau. Vous l'empruntez et il vous conduit, quelques heures de marche plus tard, vers un désert de sable blanc. Quel contraste avec les marais !

Il fait chaud ! Très chaud !

— J'ai toujours l'impression que je suis en train de rêver, vous avoue Marjorie comme ça, en marchant derrière vous…

— Un rêve, c'est plaisant ! lui rappelle son frère. Il fait trop chaud, alors nous sommes dans un cauchemar…

Vous parvenez à une porte, plantée debout au beau milieu d'une dune. Vous en faites le tour. Elle est là, tout simplement, et il n'y a rien de l'autre côté. Toi, tu te doutes qu'elle cache quelque chose. Tu décides de l'ouvrir… Est-elle verrouillée ?

*Pour le savoir… **TOURNE LES PAGES DU DESTIN !***

Si la porte est déverrouillée, ouvrez-la, passez son seuil et allez au chapitre 81.

Si par malheur elle est bien verrouillée, rendez-vous au chapitre 29.

22

Au bout de quelque quinze minutes, Jean-Christophe arrive lui aussi avec la même panoplie de questions.

Le temps passe, mais pas les effets du ragoût.

Sur la terre, une nouvelle sensationnelle frappe tous les médias : C'EST PROUVÉ, il y a de la vie sur une autre planète, et le télescope *Hubble* a capté cette photo…

FIN

23

Les restes calcinés de trois corps accumulent la poussière entre des branches et des troncs d'arbre à demi brûlés.

— J'ai l'impression qu'ils ont brûlé des sorcières ici, il y a plusieurs siècles, comme à Salem aux États-Unis en 1692, en déduit Jean-Christophe.

— Je n'en suis pas si sûre, lui dit Marjorie. Ces squelettes ne sont pas des restes humains. Ils n'ont qu'un seul œil et des cornes sur la tête. Tu te trompes !

— Et puis, c'est quoi cet endroit ? essaies-tu de comprendre. Un village enseveli dont jamais il n'a été fait mention dans aucun livre. Nous sommes peut-être les premiers à venir ici. C'est une grande découverte que nous venons de faire…

— Je ne suis pas un expert, mais j'ai la certitude que ce village a été construit bien avant l'arrivée de Christophe Colomb, pense Jean-Christophe. Il n'est pas centenaire, mais plutôt millénaire, peut-être même plus…

— Qu'est-ce qui te fait dire cela ? lui demande sa sœur.

Explication au chapitre 85.

24

6

Va au chapitre 6.

25

Les griffes de Cyril parviennent à accrocher tes vêtements comme les hameçons le font avec les poissons. Tes deux amis s'agrippent à toi, et vous êtes tous les trois extirpés de la corbeille. C'est une bonne chose de réglée, mais maintenant, il va falloir vous occuper de Cyril, qui semble avoir faim…

Vous vous regroupez. Pendant que Cyril avance vers vous, tu te sens tout à coup bizarre. Lentement, tu commences à reprendre ta taille normale. Cyril bondit. Vous contournez la poubelle et vous vous glissez sous le sofa. La patte de Cyril va de gauche à droite à quelques centimètres de vous. Vous grandissez encore.

Vous vous glissez contre le mur et vous vous éclipsez de l'autre côté du grand meuble. Ton corps grandit toujours. Tu te lèves et tu arrives face à face avec Cyril. Un corps à corps s'engage avec lui. Tu roules sur le côté. Le poids de Cyril t'empêche de respirer. Marjorie et Jean-Christophe tirent tous les deux sur sa queue et parviennent à te dégager. Tu grandis encore ! Cyril recule, car tu es maintenant plus grand que lui. Tu lui lances un WOOF ! et il s'enfuit dans une autre pièce. Du bureau juste à côté, votre professeur se lève et se dirige vers la cuisine pour se faire un café…

Tu entraînes tes amis dans le bureau au chapitre 111.

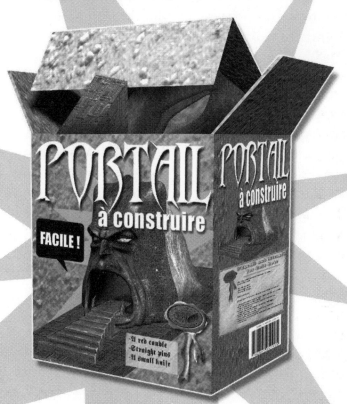

26

Dans une grande boîte se trouvent toutes les pièces nécessaires pour fabriquer un portail… GÉNIAL !

Vous traînez la grande boîte dans l'entrepôt afin de construire l'appareil en toute quiétude au chapitre 33.

27

— Croyez-vous que nous devrions aller y jeter un coup d'œil ? demandes-tu à tes amis.

— On ne peut pas se fier aux policiers pour régler cette affaire, te fait remarquer Marjorie. Eux, ils recherchent un maniaque, rappelle-toi. Le temps qu'ils vont prendre pour réaliser ce qui se passe ici, il y aura d'autres victimes…

— Il faut donc y aller tout de suite, propose Jean-Christophe. Il faut profiter de cette journée qui débute. Si nous attendons la nuit, qu'est-ce qui nous dit que nous aurons encore la chance de sortir vivants de notre prochain cauchemar ?

— TU AS RAISON ! réalises-tu en y pensant bien.

Vous rassemblez tout le matériel nécessaire…

— C'est le temps des présentations ! s'exclame soudain Marjorie.

— Une autre de tes inventions ? lui demandes-tu, habitué à ses bricolages.

— VOICI MON ZIGOTRON ! vous montre-t-elle fièrement. C'est une arme fantastique ! Tu vises, tu appuies sur la gâchette et bye-bye ! Même les fantômes ne peuvent pas y résister…

Marchez jusqu'au temple au chapitre 9.

88

Rends-toi au chapitre 88.

29

Elle est malheureusement verrouillée…

Tu aurais tant aimé savoir ce qu'elle cachait ! Ce sera pour la prochaine fois, peut-être…

Vous poursuivez votre marche épuisante jusqu'à une pyramide presque complètement ensevelie sous des tonnes de sable. Vous en faites rapidement le tour. L'entrée aussi se trouve ensevelie. Le soleil commence à se coucher à l'horizon. Vous n'avez plus le choix : si vous ne voulez pas dormir à la belle étoile, AVEC LES DAN-GEREUX SCORPIONS, vous devez trouver l'entrée de cette construction plusieurs fois millénaire…

Trois heures plus tard, presque complètement dans le noir, vos mains fatiguées de creuser dans le sable découvrent enfin une porte en pierre. Il n'y a pas de mécanisme d'ouverture.

— Pour les protéger des pilleurs de tombes, vous explique Jean-Christophe, on dotait ces pyramides d'un système très sophistiqué et très perfectionné d'ouverture des portes…

— Il faut décrypter ces hiéroglyphes, suppose Marjorie, et nous pourrons peut-être l'ouvrir…

Va étudier ces hiéroglyphes au chapitre 66…

30

EXCELLENT ! Passe à la pièce suivante...

Rends-toi au chapitre inscrit sur la pièce qui, selon toi, s'emboîtera parfaitement...

31

Vous avancez vers ces magnifiques arches qui semblent avoir été volées à la cathédrale Notre-Dame-de-Paris.

Une spirale tourne à l'intérieur de l'une d'elles. Tu vas enfin savoir ce que ressentent les personnages de jeux vidéo lorsqu'ils traversent une *warp zone*…

Tu prends une très grande inspiration et tu t'élances dans le tourbillon. Aussitôt le seuil du portail franchi, tu as l'impression d'être en suspension dans l'eau claire d'une piscine. Instinctivement, tu te mets à nager, mais c'est totalement inutile, car il n'y a pas d'eau autour de toi. Il n'y a que de l'air, car tu es dans une sorte de bulle. Il fait cependant un peu sombre.

Tu entends un double **SPLOUCH !** Marjorie et Jean-Christophe viennent de se joindre à toi.

Dans leur bulle eux aussi, ils tournent sans arrêt près de toi. Lorsque vous apercevez deux cercles de lumière, vous vous mettez à battre des bras comme des oiseaux. D'accord ! vous avez l'air complètement ridicule, mais au moins ça fonctionne.

Vous avancez tous les trois vers le chapitre 53.

Va au chapitre 96 ou 28.

33

Vous dépliez le plan et vous le posez sur le sol.

Commencez le montage au chapitre 78. VITE ! Quelque chose approche...

34

Vous jouez à cache-cache avec les grenouilles mutantes… Vous vous cachez dans un cratère, puis dans un autre. Leurs pas résonnent autour de vous, puis diminuent et finissent par se taire définitivement. Tu sors la tête lentement. Elles ne sont plus en vue, vous êtes parvenus à les semer…

Vous marchez sur cette espèce de lune sans eau ni végétation. Dans un autre cratère, Jean-Christophe découvre ce qui semble être la spirale d'un portail. Vous sautez sans réfléchir à l'intérieur. BON ! est-ce que vous serez téléportés sur la Terre ? NON ! Autour de vous, des grenouilles arrivent… PLUS MOYEN DE VOUS ÉCHAPPER !

QU'EST-CE QUI SE PASSE AVEC CE PORTAIL ? Vous pataugez dans un liquide glauque jusqu'au cou. TIENS ! Il y a un gros os et des légumes que tu n'as jamais vus chez ton épicier qui flottent autour de toi. C'est dans cette soupe d'un autre monde que va se terminer ton aventure… DOMMAGE !

FAIM

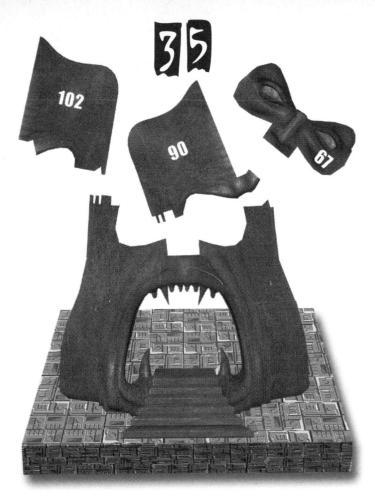

BON CHOIX ! Passe à la pièce suivante...
Rends-toi au chapitre inscrit sur la pièce qui, selon toi,
s'emboîtera parfaitement...

36

Un être sinistre glisse lentement
ses deux mains autour de ton cou...

*L'IMAGE CHANGE ENCORE À
L'ÉCRAN ! Vite au chapitre 116.*

37

Les hiéroglyphes t'indiquent de tirer la petite statue d'Horus, le dieu protecteur.

Tu n'hésites pas une seconde et tu tires. Aussitôt, le mur pivote, et vous vous retrouvez tous les trois à l'intérieur de la pyramide. Il fait plus noir qu'à l'extérieur. Marjorie tâte les murs et parvient à trouver un flambeau qu'elle allume sans perdre de temps. Le plafond est bas, et une odeur de vieux mort plane.

Dans une salle remplie de trésors, vos narines sont agressées par des champignons en suspension dans l'air. Tu te rappelles avoir lu que ces champignons mortels avaient tué presque toute l'équipe de Carter, qui découvrit la tombe intacte du pharaon Toutankhamon au début du siècle. Tu te pinces le nez et tu rebrousses chemin. Mais il est malheureusement trop tard… LE POISON EST DANS TES VEINES !

À la sortie de la pyramide, tu t'affaisses sur le sable, dans le noir de la nuit. Tu entends gratter autour de toi. Des dizaines de scorpions avancent. Est-ce que tu vas terminer cette aventure empoisonné par la malédiction d'un pharaon ou entre les mandibules des scorpions ? Ce n'est vraiment plus important puisque tu es arrivé à ta…

FIN

38

DOMMAGE ! ce n'est pas la bonne…

OUPS !

Dépêche-toi de recommencer au chapitre 78.

39

Tu avances vers l'entrée de cette grotte étrange située au beau milieu du temple. Tu ne te rappelles pas avoir entendu parler d'une mine ni d'une grotte dans la ville auparavant.

Tu penches la tête pour entrer, mais tu t'arrêtes. Une succession de toiles d'araignée suit la galerie, qui descend de plus en plus profondément sous la surface. Tu écartes la première toile. Une grosse araignée mécontente te saute sur le bras. Tu gesticules pour t'en débarrasser. Sur le dos, devant toi par terre, elle gigote pour se retourner. Tu lèves le pied, mais tu te ravises : pourquoi écraser cette pauvre bête ? Après tout, l'intrus, c'est toi…

Tu progresses, en frappant devant toi à la façon d'un karatéka. Tu es tout étonné de voir des flambeaux allumés près d'une porte en bois solidement ferrée qui bloque votre route… Est-elle verrouillée ?

*Pour le savoir… **TOURNE LES PAGES DU DESTIN !***

Si la porte est déverrouillée, entre par le chapitre 71.
Si par malheur elle est bien verrouillée, rends-toi alors au chapitre 47.

40

Ressaisis-toi et tourne les pages jusqu'au chapitre 55.

Tu réfléchis quelques secondes et tu lui dis :

— Marjorie, j'ai fait le même cauchemar que toi, exactement le même.

— C'est impossible que deux personnes fassent le même cauchemar, te dit-elle sur un ton assuré. TOTALEMENT IMPOSSIBLE !

— Tu crois ? Dans ton rêve, le titre du film, c'était quoi ? Est-ce que ce n'était pas, par hasard, *Les cicatrices de ton cauchemar* ?

Marjorie demeure muette…

— OUI ! finit-elle par répondre, au bout de quelques secondes.

— Tu vois ! Nous avons fait le même…

— MAIS C'EST IMPOSSIBLE ! répète-t-elle sans y croire davantage.

— Et ton frère Jean-Christophe, il était avec nous, n'est-ce pas ? Qu'est-ce qui lui est arrivé, à lui ? Ne s'est-il pas fait attaquer par des grains de maïs mutants métamorphosés en araignées mortelles ?

Avant que puisse répondre Marjorie, Jean-Christophe arrive dans la chambre de sa sœur. Son corps est couvert de piqûres…

— MARJORIE ! Tu n'as pas idée du cauchemar que je viens de faire…

Allez au chapitre 95.

42

— Non mais, crois-tu vraiment que cette bouffe est dangereuse pour nous ? veut comprendre Marjorie.

— Certain ! lui réponds-tu. Assurément…

— Moi, je ne pense pas, poursuit-elle. Nous avons survécu tous les trois à des attaques de loups-garous et à des bagarres avec des vampires; nous nous sommes tiraillés avec des zombies, des extraterrestres, et j'en passe.

— Et alors ?

— Alors, je ne crois pas du tout que du maïs éclaté va venir à bout de nous, les Téméraires. Ça serait le comble de l'ironie…

— Les ennemis les plus redoutables sont souvent ceux qui ont l'air le plus inoffensif.

— Peut-être, mais moi, je n'ai peur de rien, prétend Marjorie. Enfin presque…

— SILENCE ! vous demande Jean-Christophe. Ça va commencer…

Au chapitre 70.

SUPER ! Passe à la pièce suivante...

Rends-toi au chapitre inscrit sur la pièce qui, selon toi, s'emboîtera parfaitement...

Rends-toi au chapitre 10 ou 48.

45

Le photographe te fait signe de sourire pour la photo…
CLIC !

Le père Noël te demande si tu as été sage cette année, à l'école et avec tes parents. Tu te retournes vers lui et tu constates qu'il s'agit de Marjorie avec une barbe blanche. Tu ne dis rien, mais tu fais oui de la tête. Autour de toi, la foule des parents te regardent et te trouvent très joli dans tes vêtements de bambin. MAIS QU'EST-CE QUE C'EST ? Tu as quelque chose dans la bouche… OUPS ! C'EST UNE SUCE DE BÉBÉ !

Incapable de te retenir, tu te mets à pleurer.

Un téléphone sonne… **DRIIING ! DRIIING !**

Quelqu'un t'apporte le combiné…

— OUI ! réponds-tu, perdu.

— Bon, je répète, te dit une voix de femme, vous avez dit une pizza toute garnie, une frite, trois boissons gazeuses et le numéro du chapitre pour terminer cette aventure…

— Oui, répètes-tu machinalement.

— C'est le chapitre 39 ! te dit la dame. IL FAUT PASSER PAR LE CHAPITRE 39…

Retourne au chapitre 4 où Marjorie et Jean-Christophe t'attendent…

46

ZRAAAAK ! Encore une fois…

Les morceaux avancent toujours vers toi…

Tu pointes ton zigotron et tu tires encore. Vas-tu réussir à l'atteindre une troisième fois ?

Pour le savoir… TOURNE LES PAGES DU DESTIN !

Si tu réussis à l'atteindre, rends-toi au chapitre 99.
Si par contre tu l'as ratée, va au chapitre 108.

47

Malheureusement, elle semble verrouillée !

Tu examines les alentours pour voir s'il n'y aurait pas une façon de l'ouvrir. Tes amis cherchent aussi. Tu remarques une cavité creusée très bas dans la paroi, presque à tes pieds. Tu y colles un œil. Elle semble très profonde. Tu glisses ta main. Tes doigts touchent un bout de bois. Tu fais un clin d'œil à Marjorie et tu tires.

Un grondement sourd résonne. Tu t'écartes de la porte, mais elle demeure fermée. Le bruit se fait toujours entendre. Tu as réussi à activer quelque chose, mais quoi ?

Derrière toi, provenant de l'entrée de la grotte, un mur de pierre avance pour vous écrabouiller. Tu sautes sur la porte et, avec l'énergie du désespoir, tu tentes de l'arracher de ses gonds… IMPOSSIBLE !

Le mur se rapproche de plus en plus. Tu tentes de le retenir avec tes mains pendant que Jean-Christophe et Marjorie poussent avec leur dos. Le mur avance sans même ralentir. Tu te sens de plus en plus comprimé entre la porte et le mur. Ton nez s'écrase dans ton visage, et tu sens une pression sur tes poumons…

FIN

Va au chapitre 88.

49

— LA PORTE ! te répond tout simplement ton ami. Au fil des siècles, le cadenas de métal a rouillé et est tombé en décrépitude. La porte s'est finalement entrouverte, laissant ainsi se propager la malédiction des premiers sorciers, qui s'est rendue jusqu'à nous.

— Alors, nous allons faire quoi, maintenant ? demande Marjorie. FERMER LA PORTE ? Et acheter un nouveau cadenas pour la verrouiller ?

— Pour que tout ça se produise de nouveau dans quelques siècles ? lui dit son frère Jean-Christophe. PAS QUESTION ! Il faut s'assurer, cette fois-ci, qu'elle ne se rouvrira jamais. Il faut qu'elle soit très solidement barrée.

— Il faut trouver du matériel pour la barricader définitivement, expliques-tu à Marjorie. Des planches, des bouts de branches, des roches, n'importe quoi !

Lorsque vous vous dirigez vers un amas de planches, vous apercevez une meute de chiens difformes au chapitre 12.

LE PORTAIL EST COMPLÈTEMENT TERMINÉ !

Branchez l'appareil et plongez dans le portail. Il ne vous reste qu'à espérer retourner à votre point de départ afin de poursuivre votre aventure... AU CHAPITRE 79 !

51

Mais qu'est-ce que tes amis attendent pour te venir en aide ?

Tu tournes les yeux vers ton ami Jean-Christophe, car c'est la seule chose que tu arrives à bouger. Des dizaines de grains de maïs éclaté grimpent sur lui. Chacun de ces grains possède maintenant des petites pattes noires poilues et des mandibules répugnantes. Comme des tarentules mortelles, ils montent sur son corps avec la ferme intention de se repaître de son sang. Les grains de maïs commencent à envahir son visage.

Complètement dégoûté, tu tournes ensuite les yeux à ta gauche, du côté de Marjorie. Sa boisson gazeuse s'est transformée en espèce de glu difforme et a complètement englobé sa tête et une partie de son corps. Ton amie se débat sous la couche transparente et visqueuse...

Les mains se resserrent encore plus autour de ton cou. Tu voudrais crier à l'aide, mais c'est impossible... SANS AIR !

Avant de t'évanouir, tu aperçois l'image à l'écran, au chapitre 58.

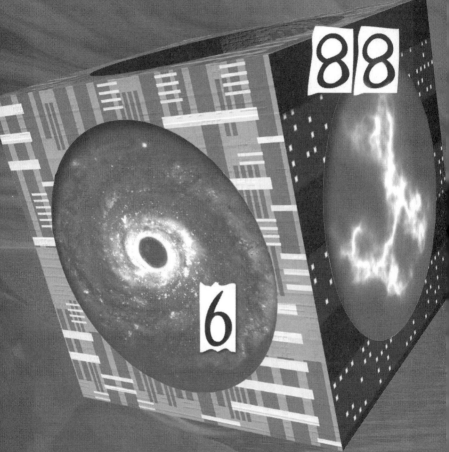

Tu traverses le tourbillon du portail, suivi de tes amis… Deux voies s'offrent maintenant à vous…

Rends-toi au chapitre de la voie que tu auras choisie…

53

Vous parvenez à atteindre les deux fenêtres éclairées.

Ancrés tous les trois à la paroi, vous regardez à l'extérieur. De l'autre côté, il semble y avoir une grande pièce dans laquelle se trouvent des meubles gigantesques, dont une télévision…

Vous vous sentez tout à coup soulevés. Vous êtes à l'intérieur de quelque chose qui peut se mouvoir. Vous passez devant un miroir et vous apercevez votre professeur. Vous êtes à l'intérieur de lui, de ses yeux en plus…

Il marche vers son bureau et il s'assoit. Devant lui se trouve une pile de feuilles. Tu reconnais tout de suite le travail que vous avez fait aujourd'hui en classe. La deuxième feuille est la tienne. Ton professeur promène son stylo sur ton texte, fait plusieurs crochets et appose une note tout en haut de ta feuille : *C*…

AÏE ! Cela va faire mal lorsque tes parents vont la recevoir…

Ton professeur lève soudain la tête et se met à éternuer plusieurs fois dans un papier mouchoir…

… qu'il jette à la poubelle au chapitre 68.

54

Tiens ! Il y a maintenant un soleil dans le ciel et il tourne très rapidement autour de toi. AÏE ! des dinosaures apparaissent, et une météorite les fait tous disparaître d'un seul coup.

Un singe se met à marcher debout et devient un homme. Le temps passe, et des Romains partent faire de grandes conquêtes. OH LÀ LÀ ! en France, ils ont guillotiné un roi et c'est la révolution.

Des millions d'hommes érigent de grands édifices et construisent de grandes villes. Ça, ce sont des choses que tu connais, que tout le monde connaît… Le futur, par contre !...

FIN

55

Lentement, la créature passe une jambe à l'extérieur de l'écran, puis l'autre. Maintenant, elle est debout, devant la télé, dans la même pièce que vous.

Tu veux te lever et t'enfuir, mais tu t'enfonces dans le fauteuil comme dans une matière gluante. Tu retiens ton souffle et tu te mets à nager dans cette glu à demi transparente. Un banc de petits poissons à la dentition proéminente arrive vers vous.

— DES PIRANHAS ! hurle Marjorie.

C'est très curieux, car il est habituellement impossible de parler sous l'eau. Oh ! tu souhaites tellement que tout cela ne soit qu'un simple cauchemar ! Malheureusement, tout est bien réel…

Tu fermes les yeux et tu te mets à nager frénétiquement. Tes mains frappent soudain le vide. Tu ouvres les yeux de nouveau, et vous vous retrouvez tous les trois juchés sur une colonne de pierre au beau milieu d'une vaste caverne. Le fond semble insondable, et la seule voie possible est une grosse corde attachée de votre colonne à une autre plus loin. Au sommet de cette autre colonne se trouve, accrochée à un poteau…, LA CARTE D'UN LABYRINTHE ! Vous êtes enfin sortis de ce terrible cauchemar, mais la partie n'est pas gagnée.

Allez au chapitre 80.

56

NON ! ce n'est pas la bonne pièce !

OUPS !

Tu dois recommencer au chapitre 78.

57

Lorsque tu arrives au pied de la tour, tu remarques que les marches montent automatiquement comme l'escalier roulant du centre commercial. C'est très curieux, ça.

Tu poses le pied droit, ensuite le pied gauche, et tu te mets à monter. Tout à fait en haut, un orbe qui tourne vous lance des éclairs. Tu ne sens aucune douleur désagréable, mais vous vous retrouvez dans un marais. Des vautours vous survolent et vous annoncent peut-être une bien triste fin.

Dans l'eau glauque jusqu'aux genoux, vous marchez péniblement vers un monticule de terre. Enfin sur un sol dur, vous vous assoyez, question de reprendre votre souffle. De l'eau jaillissent soudain une nageoire, puis un monstre des profondeurs…

Sans attendre, tu pointes ton zigotron et tu tires. Vas-tu réussir à le pulvériser ?

*Pour le savoir… **TOURNE LES PAGES DU DESTIN !***

Si tu réussis à l'atteindre, rends-toi au chapitre 21.
Si par contre tu l'as raté, va au chapitre 106.

Tes yeux se ferment, puis s'ouvrent de nouveau au chapitre 109.

59

Vous décidez à l'unanimité de prendre l'escalier droit devant vous.

Vous descendez plusieurs marches. Le couloir tourne à gauche, et puis à droite, et se remet à descendre. Puis, il tourne encore à gauche, et puis à droite, et descend encore. BON !

Vous descendez encore et le couloir se met une troisième fois à tourner à gauche, et puis à droite, et se remet encore une fois à descendre. Marjorie s'impatiente et s'assoit sur une marche…

— Je vais attendre ici, si cela ne vous dérange pas trop, vous annonce-t-elle, un peu essoufflée. Si vous trouvez quelque chose… SIFFLEZ ! J'irai vous rejoindre…

Suivi de Jean-Christophe, tu te remets à descendre. Le couloir se met une quatrième fois à tourner à gauche, et puis à droite, et se remet encore une autre fois à descendre. Devant vous, plus bas, vous apercevez, éberlués, Marjorie assise…

— MAIS QU'EST-CE QUE TU FAIS ? lui demande son frère. PAR OÙ ES-TU PASSÉE ?

— Mais je n'ai pas bougé d'ici, moi ! Comment vous avez fait, vous, pour revenir derrière moi ?

Tu devines que vous êtes tombés sur un escalier éternel. Retourne continuellement au même chapitre, le 82.

60

MAUVAISE PIÈCE !

OUPS !

Tu dois recommencer au chapitre 78.

61

Vous réussissez tous les trois à semer le chien difforme et un peu balourd.

De retour à l'entrée de la grotte, il te vient une idée. Tu demandes à tes amis de se mettre à l'abri et tu tires quelques coups du zigotron juste au-dessus de la porte.

ZRAAAAK ! ZRAAAAK ! ZRAAAAK ! ZRAAAAK !

Des tonnes de roches s'écroulent, scellant ainsi pour toujours l'entrée.

— Par ici, les bonnes nuits de sommeil ! lances-tu à tes amis, certain d'avoir résolu le problème des cauchemars mortels…

De retour à la surface, vous êtes tout étonnés de constater qu'un chaos indescriptible règne dans les rues de Sombreville : des dizaines de voitures de police roulent à toute vitesse, et des gens courent partout en traînant leurs enfants en pleurs avec eux.

— MAIS QU'EST-CE QUE NOUS AVONS FAIT ! s'écrie Marjorie.

Vous courez en direction du parc, d'où s'élève vers le ciel une drôle de tornade de lumière bleue…

… au chapitre 118.

62

88

Va au chapitre 88.

63

Tu gonfles tes muscles et te diriges en courant vers un autre cratère. Trois créatures gambadent à vive allure devant toi et vous barrent la route. Tu appuies sur la gâchette de ton zigotron, mais **CLIC CLIC !** LA PILE EST MORTE !

Une des créatures s'approche. De sa bouche immonde sort un chant étrange, qui parvient à vos oreilles. Tu te mets à penser à la mer, aux nuages, puis tes paupières s'alourdissent et tu t'endors... Tu ne recouvres tes esprits que beaucoup plus tard. Tu essaies de bouger, mais c'est impossible... TU ES COMPLÈTEMENT ENROULÉ DANS UNE SORTE DE GROS COCON MAUVE.

Tu tournes la tête. Tu n'es pas seul, Marjorie et Jean-Christophe sont là, eux aussi, dans des cocons avec des dizaines d'autres terriens capturés. Vous vous trouvez dans la soute à bagages d'un vaisseau spatial en route pour une planète d'extraterrestres qui se nourrissent exclusivement... D'HUMAINS !

FIN

Les deux mains te serrent encore plus fort le cou. Ton cœur bat très vite. Paralysé par la peur, tu ne peux que demeurer immobile et fixer l'écran…

Rends-toi au chapitre 20…

Tu te diriges avec tes deux amis vers cette grande statue sculptée à même une grosse pierre. Elle te regarde comme si elle attendait que tu sois assez près pour te croquer. Mais tu en as vu bien d'autres, alors tu continues d'avancer.

Une ombre passe soudain derrière vous. VOUS VOUS RETOURNEZ TOUS LES TROIS !

L'ombre disparaît en s'engouffrant sous le plancher. Mais tu as bien vu de quoi il s'agissait. Un spectre hante cet endroit, maintenant tu le sais. Vous vous regroupez pour surveiller autour de vous. Une main émerge juste à vos pieds, et tu recules. La main empoigne la cheville de Marjorie et la tire vers elle. Avec Jean-Christophe, tu saisis ton amie et vous l'extirpez des griffes du spectre. La main disparaît et ressort entre tes deux jambes. Tu sautes un mètre vers la droite. La main replonge sous le plancher et ne réapparaît plus…

Vous attendez quelques minutes avant de vous diriger vers la statue. Dans sa bouche tourne une spirale translucide, derrière laquelle tu aperçois une carte affichant le tracé d'un labyrinthe.

Lorsque tu oses avancer ta main vers l'intérieur de la bouche pour prendre la carte, une tête horrible apparaît d'une des orbites de la statue au chapitre 92.

Examine bien cette très ancienne écriture…

Si tu penses que les signes t'indiquent d'aller au chapitre 105, alors vas-y tout de suite.

Si tu penses qu'ils représentent plutôt le chapitre 37, va voir si tu as raison…

PARFAIT ! Passe à la pièce suivante...

Rends-toi au chapitre inscrit sur la pièce qui, selon toi, s'emboîtera parfaitement à l'endroit indiqué...

Ce fut le plus pénible et le plus mouvementé de tous les voyages que tu as faits dans ta jeune vie.

Agglutinés tous les trois dans le papier mouchoir, vous parvenez, après de multiples efforts, à sortir de cette prison dégoulinante. Dans les profondeurs de la corbeille à papier, vous analysez la situation...

— Bon ! réalises-tu avec les deux autres, il faut escalader la corbeille si nous voulons sortir d'ici.

— C'est une bonne idée, mais pour aller où ? demande avec raison Marjorie. Si jamais nous réussissons, qu'allons-nous faire par la suite ? Nous sommes si petits que ça va nous prendre des années à retourner aux arches du temple et...

Une grosse patte poilue l'interrompt... UNE PATTE DE CHAT ! C'est Cyril, le chat de ton professeur. Vous tentez de vous écarter de sa trajectoire... Est-ce que Cyril va réussir à vous attraper ?

Pour le savoir... TOURNE LES PAGES DU DESTIN !

S'il vous attrape, allez au chapitre 25.
Si la chance est avec vous et qu'il ne vous attrape pas, rendez-vous au chapitre 87.

NON ! ce n'est pas la pièce qu'il te faut !

ALLEZ ! Recommence au chapitre 78.

70

Autour de vous, les lumières s'éteignent lentement. Tu tournes la tête et tu remarques qu'il n'y a qu'une seule autre personne avec vous dans la salle du cinéma. Elle est assise tout au fond, dans le coin le plus sombre...

À l'écran apparaît ceci :

Des agents du FBI et de l'Interpol ont trouvé ce film particulièrement effrayant. Ils n'ont presque pas fermé l'œil de la nuit par la suite. Un agent du FBI a même raté la fin du film. COMMENT ? Il s'est lancé vers les toilettes, après avoir intentionnellement renversé sur lui-même son cola, car il avait trop peur. Ce n'est pas peu dire ! Vous êtes prévenus maintenant. Une dernière chose : inutile d'essayer de vous enfuir... LES PORTES DU CINÉMA SONT VERROUILLÉES !

Vous vous regardez, tous les trois. Vous avez vu des centaines de fois ce genre de message au début des films, mais jamais il n'était écrit cela...

Vous attendez la suite au chapitre 14.

71

Vous n'aviez pas remarqué, mais la porte est très légèrement entrouverte. Tu la pousses lentement et elle s'ouvre. De l'autre côté, tu aperçois le cadenas par terre ; il est cassé en deux. Devant vous, s'étend très vaste espace dans lequel se trouve un village étrange. Des poutres et des colonnes semblent soutenir la voûte de cet endroit lugubre et sombre. Le silence te glace le sang. Sur un panneau tombé au sol est écrit : *Village de Kôchemort, 132 habitants.* Tu n'en crois pas tes yeux ! Ce village a été autrefois, il y a très longtemps, enseveli et caché, mais pourquoi ? C'est un autre secret que tu ne connaissais pas de Sombreville…

Devant une charrette qui tombe en ruine, tu aperçois la carcasse répugnante d'un bœuf mort depuis très longtemps. La peinture s'est écaillée des planches, et toutes les maisons sont d'un noir charbon. Les silhouettes de plusieurs autres constructions s'engouffrent dans le roc de la grotte. Tout à fait en haut, le pignon de l'église perce carrément la voûte et semble traverser jusqu'à la terre ferme. Sous un pont, tu aperçois des squelettes de poissons qui reposent sur le lit d'une rivière disparue. Tu le traverses et aperçois au loin, sur une petite colline, les restes d'un bûcher…

… au chapitre 23.

NON ! prends une autre pièce !

Dépêche-toi de retourner au chapitre 78.

73

Tu atterris sur une minuscule boule aux confins de la galaxie. Debout sur une planète de la dimension d'un ballon de basket, tu ne peux absolument rien faire. Tu attends donc que les effets du ragoût se dissipent…

Le temps passe, et malheureusement rien ne se produit. Quelques minutes plus tard, Marjorie apparaît de l'autre côté de la planète, la tête en bas.

— AAAAAAH ! hurle-t-elle.

— MARJORIE ! lui cries-tu pour la rassurer. Je suis là ! De l'autre côté. Tu as mangé, toi aussi, de ce ragoût ?

— OUI ! Tu ne revenais pas, alors… Mais qu'est-ce que c'est que cet endroit ? veut-elle savoir. Où sommes-nous ?

— CE N'EST PAS DE CHANCE ! Je crois que nous avons été transportés sur la plus petite planète de la galaxie.

— Mais comment arrivons-nous à respirer ? Il y a une atmosphère ?

— OUI ! sinon, nous serions morts depuis long-temps…

— Et qu'est-ce qu'on fait maintenant ?

— Nous attendons, que veux-tu faire d'autre ?

Attends quinze minutes, et ensuite rends-toi au chapitre 22.

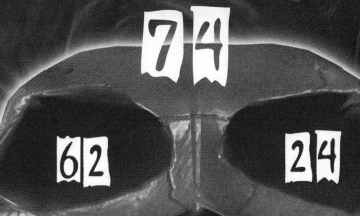

Rends-toi au chapitre 62 ou 24.

75

Tu chutes en entraînant tes deux amis avec toi.

Des heures passent, et vous apercevez enfin le fond de cette caverne immense. Tu te prépares pour le choc, sachant qu'il vous sera fatal. Tu fermes les yeux.

Tes cheveux sont retombés sur ta tête et, autour de toi, tu ne sens plus l'air qui passait très vite. Tu rouvres les yeux. Tu te retrouves debout entre tes deux amis. Comment est-ce possible ? Tu ne cherches plus à comprendre, car dans cet endroit maudit, il peut se produire à peu près n'importe quoi…

Le sol est tout blanc et plutôt mou. Une lumière s'allume et vous apercevez un géant en pyjama qui s'amène. Tu le reconnais, ce géant… C'EST TON PÈRE !

Il arrive vers vous. Vous êtes tous les trois si minuscules qu'il ne vous a pas vus. Lorsqu'il pousse les grandes couvertures, tu te rends compte que vous avez atterri sur sa taie d'oreiller. Il s'assoit dans son lit, et son énorme tête descend vers vous. Vous n'avez pas le temps de vous écarter…

PLOURB ! PLOURB ! PLOURB !

FIN

76

Bienvenue à l'école Saint-Macabre.

Il est 16 h 45. Comme c'est l'automne, le soleil orangé, voilé par une couverture de nuages, se couche déjà à l'horizon. Les classes sont terminées depuis un bon moment. Tout le monde est parti, enfin presque tout le monde. Seul le halo de lumière d'une des classes illumine le pavé humide et le vieux chêne de la cour de l'école. À l'intérieur de la classe se trouve Pierre-Michel. Il est encore en retenue. Mais ce sera la dernière fois : pas parce qu'il l'a promis à ses parents, mais parce que cette fois-ci, il est seul... SEUL AVEC LE PROFESSEUR !

Le lendemain matin... **DRIIIIIIING !** Chaudement emmitouflé sous tes couvertures, tu tends le bras vers ton réveille-matin. **CLIC !** fait l'interrupteur lorsque tu appuies dessus.

— Déjà 7 h 15 ! Ce n'est pas vrai...

Les yeux bouffis, tu t'assois péniblement dans ton lit, puis tu te lèves. Debout devant ta fenêtre, comme chaque matin, tu es perdu dans cette pensée qui semble en fait ne pas vouloir te quitter depuis quelques jours : SAINT-MACABRE, TON ÉCOLE...

ARRÊTE IMMÉDIATEMENT DE LIRE ! Tu as été transporté très loin... Au début d'un autre livre Passepeur, le numéro 2, *Le prof cannibale*...

FIN

77

Vous reculez en ne quittant pas des yeux ces horreurs venues tout droit des confins du passé. Mi-chiens, mi-dinosaures, ces créatures vous regardent comme si elles n'avaient rien mangé depuis des années. Elles marchent très lentement vers vous. Marjorie saisit ton bras, et vous déguerpissez en direction d'une maison à la porte ouverte. Après que vous êtes entrés, tu la refermes et tu pousses le loquet. Les chiens frappent violemment la porte et se mettent à aboyer, lâchant des sons que tu n'as jamais entendus et qui te font trembler...

Jean-Christophe réussit à trouver la cuisine, où il remarque une autre porte de sortie. De l'entrée, les bruits sourds des chiens qui heurtent la porte avec leur tête résonnent dans toute la maison. Tu te jettes vers l'autre sortie et tu ouvres la porte, sans prendre le temps de regarder. Vous tombez face à face avec le plus gros et le plus rusé de ces chiens mutants, qui vous sourit en bavant. Tu t'élances dans la maison pour tenter de lui échapper. Tu te croises les doigts... Est-ce que ce chien va réussir à t'attraper ?

Pour le savoir... TOURNE LES PAGES DU DESTIN !

S'il parvient à t'attraper, va au chapitre 17.
Si la chance est avec toi et qu'il ne réussit pas à t'attraper, rends-toi au chapitre 61.

Mettez la base sur le plancher et rendez-vous au chapitre inscrit sur la pièce qui, selon toi, permet de débuter l'assemblage...

79

Vous arrivez sur une autre planète qui n'est certainement pas la vôtre, car il n'y a que des cratères. C'est tout de même une chance que vous puissiez respirer. Dans un des cratères, vous découvrez de très gros œufs. L'un d'eux est sur le point d'éclore.

Zigotron pointé en direction du nid, vous reculez. Soudain, le faible grognement se change en rugissement. **GROOOW !** De l'œuf brisé s'échappe une espèce de grosse grenouille mutante qui bondit vers vous, la gueule grande ouverte. Tu appuies sur la gâchette. **ZRAAAAK !** Le rayon atteint la créature, qui retourne à son nid en se léchant le tentacule. Au même moment, tous les autres œufs éclosent et d'autres petits monstres surgissent.

— Ça se gâte ! te dit Jean-Christophe. Il faut partir d'ici au plus vite...

Allez-vous avoir le temps de vous enfuir avant que ces grenouilles *aliens* vous attrapent ?

Pour le savoir, ferme les yeux et TOURNE LES PAGES DU DESTIN.

Si elles vous attrapent, retrouvez-vous au chapitre 63.
Si vous avez réussi à fuir, courez jusqu'au chapitre 34.

Crois-tu être capable de marcher sur cette corde sans tomber ? Pour le savoir, mets un signet au chapitre où tu es présentement, ferme ton livre et dépose-le debout dans ta main…

Si tu es capable de faire trois pas devant toi sans que ton livre tombe, BRAVO ! Tu as réussi à te rendre jusqu'à la carte. PRENDS-LA ! Elle se trouve au chapitre 100.

Si par contre ton livre est tombé par terre avant que tu aies pu faire les trois pas, tu chutes avec tes amis au chapitre 75.

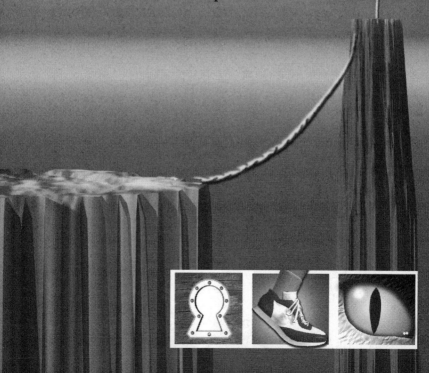

81

Vous errez longtemps dans un étrange endroit. Le ciel est en brique rouge, et les nuages sont constitués de grosses et lourdes pierres. Les arbres autour de vous sont faits d'une belle eau bleue et limpide. L'herbe sur laquelle vous marchez est un miroir qui vous renvoie cet étrange paysage cauchemardesque. De la pluie se met soudain à tomber. Vous vous mettez à l'abri. Les gouttes qui tombent sont en réalité des fleurs multicolores. Marjorie en ramasse une et la place sous son nez…

— POUAH ! cette fleur empeste le parfum bon marché…

Elle la lance au loin…

Tu es tout à coup distrait par une lumière vive émanant d'un curieux soleil en forme de télévision dans le ciel…

Une musique semblable à celle des jeux vidéo résonne soudain. SUPER ! Tu te retrouves dans une *WARP ZONE* comme dans les jeux vidéo…

Ferme ton livre et ouvre-le au hasard. Tu es maintenant rendu à ce chapitre dans ton aventure… J'espère que tu auras de la chance !

Vous continuez de descendre. Le couloir se met, une autre fois, à tourner à gauche, et puis à droite, et se remet encore à descendre plus bas.

Descendez encore et toujours vers le chapitre 82. Oui ! le 82...

83

Tu étends les bras et tu recules en entraînant avec toi tes deux amis. Le chat avance lentement, sachant très bien qu'il vous tient à sa merci. Sa tête est tout près de toi. Tu lui tires une moustache, et vous filez vous cacher sous la table à café. La patte de Cyril s'agite devant vous. Vous reculez. La patte disparaît et réapparaît de l'autre côté...

Vous faites tous les trois une roulade sur le tapis et vous courez vers la cuisine. Vous parvenez à ouvrir la porte du frigo. Cyril s'amène en marchant comme un grand félin d'Afrique. Tu te places devant la porte pour l'attirer. ÇA MARCHE ! Il se dirige vers toi à toute vitesse...

Juste comme il arrive à ta hauteur, tu t'écartes. Le chat tente de freiner, mais il est trop tard ! Il pénètre dans le frigo bien malgré lui. Marjorie et Jean-Christophe ferment tout de suite la porte.

À l'aide d'une cravate laissée sur la table par votre professeur, vous parvenez à vous hisser jusqu'à la poignée pour ensuite ouvrir la porte...

Vous reprenez lentement votre taille normale...

Retournez au chapitre 4 afin de choisir une autre voie...

88

Va au chapitre 88.

85

— Cet arbre mort au milieu du village…, lui répond son frère. L'époque des grands dinosaures m'a toujours fasciné. Je sais qu'il s'agit ici d'une variété de lycopode disparue il y a de cela des milliers d'années…

— UN VILLAGE DE L'ÉPOQUE DES HOMMES DES CAVERNES ? essaies-tu de t'imaginer. Mais est-ce possible ? L'homme n'était même pas capable de construire ce genre de maison à cette époque. C'est pour cela qu'on l'appelle *homme des cavernes…*

— Tu as raison ! L'homme en était incapable, mais les premiers sorciers, eux, oui ! Et puis, vous avez remarqué la grande quantité de poussière sur le toit des maisons ? vous montre Jean-Christophe en montrant du doigt la demeure presque complètement effondrée à votre droite.

— Je crois comprendre maintenant, présume Marjorie. Ce peuple fut sans doute le premier peuple de sorciers et de sorcières que la terre ait porté. Ils habitaient cet endroit bien avant que débarque en Amérique le premier colon. Ils ont été chassés comme les sorcières de Salem lorsque leur existence a été connue des hommes. Ce qui se passe à Sombreville est sans doute le résultat d'une vengeance, d'une malédiction.

— Tu as peut-être raison, lui accordes-tu. Mais pourquoi cette malédiction aurait soudainement décidé de se manifester après toutes ces années ?

Rends-toi au chapitre 49.

SPLENDIDE ! Passe à la pièce suivante...
Rends-toi au chapitre inscrit sur la pièce qui, selon toi, s'emboîtera parfaitement...

87

Vous vous cachez entre les déchets au fond de la corbeille. Cyril démissionne et retire sa patte. En te levant, tu te sens attiré vers la droite. OH NON ! tu t'es aggluliné dans une grosse gomme à mâcher encore toute fraîche et toute collante…

Un long filet rouge te ramène vers elle.

Tes amis te tirent et parviennent à te dégager. BON ! Tu es libre, mais tu sens les fraises à plein nez…

Vous escaladez la pile de rebuts et parvenez à vous sortir de la corbeille. Sur un sofa géant, le chat semble roupiller. Tout est gigantesque autour de vous. Vous êtes si minuscules qu'il vous faudra plusieurs minutes pour simplement traverser la pièce jusqu'à la sortie. Si jamais vous y parvenez sans que le Cyril vous aperçoive, il va vous falloir que vous trouviez une façon de tourner la grosse poignée afin d'ouvrir la porte…

Vous vous élancez tous les trois vers la sortie… Est-ce que le chat va vous apercevoir ?

*Pour le savoir… **TOURNE LES PAGES DU DESTIN !***

S'il vous a vus, allez au chapitre 5.

Si la chance est avec vous et qu'il ne vous a pas aperçus, rendez-vous au chapitre 89.

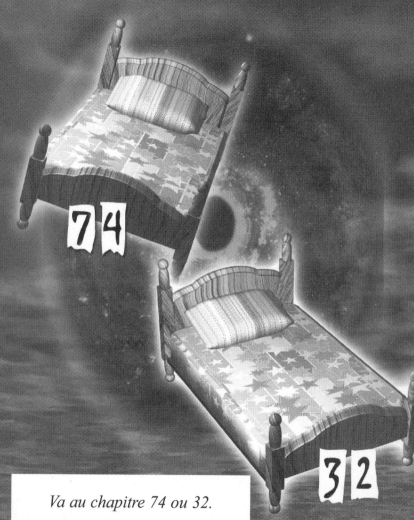

Va au chapitre 74 ou 32.

89

Vous marchez sur la pointe des pieds jusqu'à la sortie.

Mais la poignée de la porte se trouve très haut au-dessus de vos têtes. Tu parviens à décrocher une cravate d'un crochet et, comme un cow-boy, tu attrapes la poignée avec ton lasso de fortune. Avec tout ton poids, tu réussis à faire tourner la poignée d'un demi-tour, et la porte finit par s'ouvrir.

Dehors, il fait très noir. Vu votre petitesse, il vous faudra plusieurs heures avant de revenir au temple.

— Il faut trouver une façon rapide de nous y rendre ! soutient Marjorie. Sinon, il y aura une autre nuit de cauchemars, et des gens vont être encore blessés ou pire, qui sait…

Dans la rue, les voitures passent trop rapidement pour que vous puissiez vous accrocher à un pare-chocs. Il te vient soudain une idée. Vous vous dirigez tous les trois vers le Kafé-Beignet, l'endroit où tous les jeunes vont flâner et discuter… *SKATE BOARD !*

Sur le trottoir, vous apercevez une belle planche laissée sans surveillance. Vous la poussez et, assis tous les trois, vous filez très vite vers le temple…

… au chapitre 4. Tiens, comme c'est étrange ! Vous venez de retrouver votre taille normale…

90

NON ! c'est la mauvaise pièce !

OUPS !

Dépêche-toi de recommencer au chapitre 78.

91

À bord d'un navire fait de simples biscuits au chocolat, vous voguez longtemps sur une mer de lait blanc. Un dauphin, au visage de ton professeur d'éducation physique, guide votre navire vers une île paradisiaque.

Vous débarquez et vous vous dirigez vers un temple à la forme d'une pyramide. Au sommet, tu aperçois un roi et sa reine. Tes yeux s'agrandissent d'étonnement lorsque tu constates qu'il s'agit de tes parents. Ils sont tous les deux vêtus d'un costume somptueux.

Est-ce que tu rêves ? Es-tu en train de faire un autre de ces terribles cauchemars ? Tu secoues la tête et tu demandes à Marjorie de te pincer le bras très fort.

— AÏE !

ÇA FAIT MAL ! Donc tu ne dors pas.

Tu gravis les marches. Au sommet, tu t'aperçois non seulement que tes parents ont disparu, mais que tu n'es plus du tout au sommet d'une belle pyramide maya sur une magnifique île entourée d'une mer de lait…

Tu es dans un centre commercial, sur les genoux du père Noël, au chapitre 45.

Allez au chapitre 113.

93

Tu enfonces la cuillère dans le ragoût et tu la portes à tes lèvres…

Qu'est-ce qu'il y a dedans ? Un insecte mort qui flotte sur le dos, un œil dont la paupière bouge encore et qui te dévisage, une langue de corbeau, le tout dans un liquide de couleur très douteuse… Comme tu l'avais promis, tu en prends une gorgée.

BON, D'ACCORD ! Ça te rappelle un peu le bouilli de la cafétéria de l'école. Il y a des similitudes, car lui aussi pouvait te transporter à la clinique ou à l'hôpital. Voyons voir où celui-là va te conduire…

Dans les premières secondes, rien ne se produit. Puis, au bout de quelques minutes, tout se met à tourner autour de toi, si vite que tu ne parviens plus à voir tes deux amis. Soudain, tout s'arrête !

Il fait noir, très, très noir. Tu voudrais marcher dans une direction, mais tu as peur de buter contre un obstacle plus dur que ta tête. Un retentissant **BOUM !** éclaire tout autour de toi. WOW ! Crois-le ou non, tu viens d'être témoin du Big Bang.

Suis la rapide évolution de la Terre au chapitre 54.

BRAVO ! Passe à la pièce suivante...

Rends-toi au chapitre inscrit sur la pièce qui, selon toi, s'emboîtera parfaitement...

95

Une heure plus tard, au local des Téméraires, situé dans la cour de Marjorie et Jean-Christophe…

— Il se passe des choses pas du tout normales à Sombreville, une fois de plus, dis-tu à Jean-Christophe, assis devant toi. Tu as des morsures, moi, j'ai des marques au cou parce que quelqu'un a tenté de m'étrangler dans mon rêve, et Marjorie, elle, plus chanceuse que nous, n'a eu que les cheveux très collants à cause de ce monstre gluant qui se trouvait dans son cauchemar à elle…

— Qu'est-ce que tu en penses ? te demande ton ami, qui cherche, comme toi, à comprendre.

— Bon ! réfléchis-tu. C'est un fait : Sombreville est l'endroit sur la planète où il y a eu le plus de manifestations étranges. Je pense que la ville a été construite sur une sorte de portail vers le monde des ténèbres. Qu'est-ce que tu veux que ce soit ? Ailleurs, il ne se passe pas le dixième de ce qui nous arrive à nous.

— Un portail qui existait dans le temps avant le temps, tente de comprendre Jean-Christophe. Tu as probablement raison; il serait où, ce portail ?

Marjorie arrive avec d'autres mauvaises nouvelles.

— J'AI LE JOURNAL ! Nous ne sommes pas les seuls à qui c'est arrivé…

Elle dépose le journal devant toi au chapitre 101.

96

91

Rends-toi au chapitre 91.

97

Vous vous dirigez vers ce curieux escalier qui semble aller dans plusieurs directions…

Au pied de cette très étrange structure, tu suis des yeux les dédales de marches qui parfois semblent faire fi de la loi de la gravité…

— Ce n'est peut-être que l'escalier qui conduit aux toilettes, suppose ton ami Jean-Christophe. Si c'est cela, moi, je ne refuserais pas d'y aller, si nous avons le temps bien entendu…

Tu cherches à comprendre l'enchevêtrement de couloirs sans vraiment écouter ce que te dit ton ami. Tu remarques qu'il y a même un escalier inversé qui descend vers le plafond du temple. Tu décides de faire un petit test.

Dans votre sac d'équipement, vous transportez toujours des bonbons, car on ne sait jamais où une aventure va mener et pour combien de temps. Tu prends un bonbon enveloppé et tu le lances vers l'escalier. Au lieu de retomber sur le sol, le bonbon monte vers une marche et reste… COLLÉ LÀ ! La gravité est inversée…

Poussé par une grande curiosité, tu poses le pied sur la première marche au chapitre 114.

98

FIN

99

Tu laisses ton doigt sur la gâchette jusqu'à ce que le chargeur soit vide…

ZRAAAK ! ZRAAAK ! ZRAAAK ! ZRAAAK !

Autour de toi, il n'y a plus que de la poussière. Tu ranges le zigotron devenu maintenant inutilisable. Tu te remets à marcher dans l'escalier. Vous descendez des marches, vous en montez d'autres. Vous marchez sur un mur et ensuite au plafond. Vous passez des heures à déambuler sans vraiment aboutir quelque part.

Au bout de quelques jours, tu remarques que tu portes les pantalons de Jean-Christophe et les espadrilles de Marjorie. Pourtant, vous êtes loin de chausser la même grandeur de soulier. Tu les enlèves pour les lui remettre. Au bout de tes jambes, ce sont même ses pieds que tu as à la place des tiens. Tu te retournes vers elle et, sur ses épaules, elle porte maintenant… LA TÊTE DE SON FRÈRE ! Tu te relèves d'un seul bond. Jean-Christophe a désormais tes deux bras et toi, tu as les siens. QU'EST-CE QUI SE PASSE ?

Un savant fou pratique des opérations macabres sur vous lorsque vous dormez, car vous êtes cousus de partout…

FIN

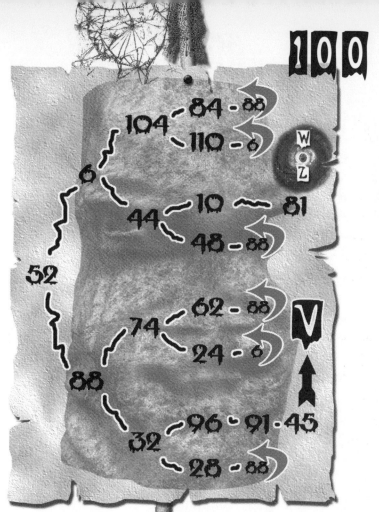

Lorsque tu parviendras au labyrinthe, tu pourras consulter ce plan à n'importe quel moment dans ton histoire. Tu n'as qu'à te rappeler le numéro du chapitre où tu te trouves présentement…

Retourne au chapitre 4 et choisis une autre voie…

VINGT-SEPT PERSONNES VICTIMES
DE LEUR SOMMEIL

Hier, au quartier général de la police, s'est tenue une conférence de presse sur le curieux phénomène entourant des blessures, plus ou moins sérieuses, qu'auraient subies plusieurs citoyens la nuit. Il semble que le seul point en commun partagé par les victimes soit, aussi incroyable que cela puisse paraître, le sommeil. Un cauchemar, pour être plus précis.

Une enquête a été instituée, car la police ne croit pas à cette hypothèse du *cauchemar qui blesse*. Elle semble à leurs yeux très improbable et même ridicule. Le chef de police pense plutôt que nous avons affaire à un maniaque qui s'adonne à des activités nocturnes pour le moins étranges, car on ne rapporte aucun vol dans les demeures visitées la nuit. Jusqu'à ce que toute cette affaire soit élucidée, il est recommandé à tous les habitants de Sombreville de bien verrouiller leurs portes et fenêtres avant de se coucher.

Tu te rends au chapitre 103.

NON ! celle-ci ne s'emboîte pas du tout !

OUPS !

Recommence au chapitre 78.

103

Au milieu du journal, la police a fourni aux citoyens une carte de la ville sur laquelle sont indiquées, par des points, les demeures que le supposé maniaque aurait visitées après le coucher du soleil. Marjorie remarque tout de suite une concentration évidente de points autour du nouveau temple, érigé il y a à peine une semaine.

Elle pose son index sur la carte.

— Est-ce que vous savez quel édifice se trouve sur ce coin de rue ? vous demande-t-elle.

Tu regardes le nom des rues…

— Au coin des rues Pasdebonsang et Latrouille ?

— Oui ! te répond ton amie.

— N'est-ce pas à cet endroit qu'a été construit, en une nuit, le grand bâtiment rouge avec de drôles de colonnes semblables à des grosses veines ? lui demande son frère Jean-Christophe.

— EN UNE SEULE NUIT ? répètes-tu, très étonné.

— Oui, en une seule nuit ! te confirme Marjorie. Nous passons sur cette rue tous les jours pour aller à l'école. Un soir, il n'y avait qu'un terrain vacant. Le lendemain, POUF ! il était là ! Nous ne nous sommes pas arrêtés, car il pleuvait très fort. Ensuite, on a tout simplement oublié…

Va au chapitre 27.

Va au chapitre 84 ou 110.

105

Comme si tu étais un égyptologue de renommée internationale, tu parviens à déchiffrer les hiéroglyphes. Ces derniers te révèlent ce qui suit : *Une terrible malédiction affligera tous ceux qui oseront profaner la tombe de Komanjarï.*

Tu sais pertinemment que toute cette histoire de morts causées par une prétendue malédiction est complètement ridicule. Ces décès ne sont, en fait, que le résultat de l'inhalation par les victimes des spores d'un champignon mortel qui pousse sur le corps des momies. Tu le sais très bien, car tu as regardé un reportage à la chaîne scientifique sur le câble…

Dans votre équipement, il n'y a aucun masque à oxygène; il vous sera donc impossible de visiter la pyramide.

Vous retournez vers la surface, question de trouver un autre endroit où vous abriter. Dans le ciel, les dernières lueurs du soleil ont complètement disparu. Une grande noirceur vous entoure et vous ne voyez absolument rien. Vous marchez en vous tenant la main pour ne pas vous perdre les uns les autres. Le bout de ton pied frappe quelque chose de très étrange. Tu places ta main devant toi.

Tes doigts touchent soudain des bandelettes gluantes au chapitre 98.

106

TU AURAIS INTÉRÊT À T'ENTRAÎNER AU STAND DE TIR !

Le monstre plonge et disparaît sous l'eau. Vous gravissez tous les trois le monticule. C'EST UNE BONNE IDÉE ! Plus vous êtes loin de l'eau et plus vous vous éloignez de ce monstre affamé.

MAIS QUELLE ERREUR ! Le monticule se met à bouger. S'agit-il d'un tremblement de terre ? NON ! vous êtes sur le dos d'un monstre gigantesque. Le monstre se hisse sur ses pattes et se lève très haut vers le ciel. Vous tentez de vous accrocher à ses écailles, mais vous tombez tous les trois dans l'eau.

TRIPLE SPLOUCH !

Le monstre se penche vers vous. Vous êtes si minuscules à côté de lui qu'il ne trouverait pas de quoi satisfaire son appétit, même en vous avalant tous les trois. Il lève sa lourde patte et la repose dans l'eau du marais pour partir…

Une grosse vague se forme et vous pousse vers le chapitre 16, où vous accueille l'autre créature…

107

Après avoir monté une centaine de marches, vous vous retrouvez, comme vous l'aviez pensé, tête en bas. Tu ne sens aucun inconfort, comme s'il était tout à fait normal de te trouver dans cette position. Pourtant, plus jeune, lorsque tu te plaçais tête en bas au parc, ton visage devenait tout rouge et tu te sentais vite très mal. Tu continues d'errer pendant de longues minutes, puis pendant de longues heures, sans aboutir dans un quelconque autre endroit.

— Cet escalier ne va nulle part, soupire Jean-Christophe, même pas aux toilettes… DOMMAGE !

Vous redescendez sur le plancher du temple. À peine êtes-vous retournés à votre point de départ que tu te sens un peu bizarre et même un peu pris de nausée. Marjorie et Jean-Christophe se plaignent eux aussi de la même chose. Vu votre état, vous retournez tous les trois chacun chez vous. Tu découvres vite qu'il n'y a qu'en plaçant ta tête vers le bas que tu te sens bien. Pendant des mois, tu passes une batterie de tests à l'hôpital. Les médecins ne peuvent rien faire pour enrayer ta triste condition. Ton père a cependant trouvé une solution temporaire… Il a cloué tes meubles au plafond de ta chambre.

FIN

108

ZRAAAAK ! RATÉ…

Sur chaque morceau apparaît une bouche pleine de dents acérées. Ces restes de créature continuent inlassablement d'avancer vers toi. Tu appuies sur la gâchette… PLUS DE MUNITIONS !

FIN

109

TU TE RÉVEILLES EN SURSAUT !

Les yeux bouffis, tu constates avec joie que tu ne faisais que rêver. Pourtant, tout avait l'air tellement réel. Tu t'assois sur le bord de ton lit. Ton téléphone sonne.

Ça ne peut être que Marjorie ou Jean-Christophe. Eux seuls connaissent ce numéro. Tu décroches.

— Oui ! réponds-tu avant de bâiller.

— Tu n'as pas idée du rêve, que dis-je, du cauchemar que je viens de faire, te lance tout d'un trait Marjorie.

— Moi aussi ! lui réponds-tu avant qu'elle puisse continuer. Ça ne pouvait pas être plus terrible que le mien…

— TU PENSES ! te relance-t-elle. Nous étions tous les trois au cinéma, et ma boisson gazeuse s'est transformée en espèce de monstre gluant et m'a englobée. Je me suis réveillée juste avant qu'elle me digère… C'ÉTAIT TERRIBLE ! J'en frissonne encore…

Au bout du fil, tu es tout éberlué…

— Et dans ton cauchemar, lui demandes-tu en connaissant déjà sa réponse, moi, qu'est-ce qui m'arrivait ?

— Un homme très laid était assis derrière toi et tentait de t'étouffer, te raconte-t-elle…

Tu repars bouche bée vers le chapitre 41.

6

Rends-toi au chapitre 6

111

Avec la maladresse d'un bambin qui commence tout juste à marcher, tu escalades la chaise et tu montes sur le pupitre.

Tu cherches, parmi le tas de feuilles, ton travail à toi. Les feuilles sont lourdes et difficiles à bouger. Tu la retrouves finalement. Dans un verre devant toi se trouvent des stylos. À deux mains, tu en saisis un et tu changes ta note de *C* pour *A*.

— VOILÀ ! te réjouis-tu en rangeant le stylo pour ne pas éveiller les soupçons. Je viens de m'éviter un tas de problèmes…

Tu sautes sur la chaise et ensuite sur le sol, et vous prenez la direction de la sortie. Tu tends le bras, mais la poignée est encore trop haute. Jean-Christophe te fait la courte échelle, et vous parvenez à ouvrir la porte. À trois, vous la refermez lentement sans faire de bruit.

Dehors, tout est encore très grand. Une voiture passe à toute allure au-dessus de vos têtes…

— NOUS SOMMES AU BEAU MILIEU DE LA RUE ! s'écrie Marjorie. FOUTONS LE CAMP !

Vous êtes de retour plus tard au chapitre 4…

112

Il n'y a qu'une façon de le savoir… IL FAUT GOÛTER !

Si tu désires tremper ta cuillère de ce côté, rends-toi au chapitre 3.

Si tu veux plutôt goûter à ce côté-ci de ce ragoût infect, va au chapitre 93.

113

Suivi de tes amis, tu traverses la spirale. Tout se met à tourner autour de toi. De l'autre côté, vous flottez tous les trois dans les airs. Des nuages passent rapidement dans un curieux ciel mauve. Tu te sens soudain aspiré. Trois longs tentacules dégoûtants vous enlacent et vous tirent vers une grande bouche immonde, dans laquelle attendent des petites créatures affamées. Vous êtes dévorés…

Tes yeux s'ouvrent, et vous vous retrouvez tous les trois confortablement assis dans un grand fauteuil, devant une télé. Marjorie et Jean-Christophe se tiennent la main, ils sont tout aussi effrayés que toi…

Tu fais l'inventaire de tes membres, et ils sont tous là. FOUTU CAUCHEMAR ! Mais il n'est pas encore terminé…

À l'écran noir et blanc de la télé, vous apercevez la silhouette immobile d'une jeune fille. Ton corps se raidit. Tout cela te rappelle curieusement un film qui t'avait vraiment effrayé…

Sa longue chevelure noire cache son visage. L'écran de la télé saute et est soudain traversé par de petits éclairs.

La jeune fille lève tout à coup la tête au chapitre 40.

59

107

Rends-toi au chapitre inscrit sur la voie que tu auras choisie…

2

115

ZRAAAAK ! Raté…

La créature saisit ton arme et la croque comme un simple biscuit. Vous reculez, puisque la seule chose qui vous reste à faire est… FUIR ! Tu as à peine le dos tourné que tu sens sa main qui s'agrippe à ton chandail. Tu décides de lui faire face, car il n'est pas question de te laisser bouffer sans combattre. Tu te retournes et tu lèves les deux poings vers elle. L'air que tu as déplacé en levant tes bras projette la créature violemment sur le sol et la casse en mille morceaux. Tu regardes tes amis, qui sont tout aussi éberlués que toi. Dans ton dos, tu n'as pas encore remarqué que tu avais toujours, accrochée à ton chandail, la main arrachée de la créature. C'est lorsqu'elle se met à gravir ton chandail que tu t'en rends compte. Tu essaies de l'enlever, mais elle est située exactement à l'endroit que tu ne peux pas atteindre lorsque tu veux te gratter le dos.

Marjorie grimace, et Jean-Christophe s'éloigne. La main sans corps de la créature réussit à t'égratigner le dos. Comme dans le cas des vampires, tu vas maintenant te transformer. Du poil pousse partout sur ton corps, et ton dos se cabre… Tu es maintenant une parfaite imitation de cette créature. Marjorie, attristée, pousse un grand soupir qui, malheureusement, te pulvérise en poussière…

FIN

116

Une musique très lugubre résonne dans la salle…

Les deux mains se resserrent sur ton cou…

Va au chapitre 64.

117

Devant vous, l'eau du portail tourne à la verticale. Tu passes une main. C'EST TRÈS FROID ! Tu retires ta main et remarques qu'elle n'est même pas humide. Sur la structure, Marjorie aperçoit de très anciens signes.

— Ce portail conduit vers un labyrinthe de la quatrième dimension, en conclut Jean-Christophe. Il est écrit que la *tête des connaissances* peut nous révéler les voies et nous aider à le traverser.

— Il s'agit sans doute de ce grand visage en pierre là-bas ! lui montres-tu en pointant la statue qui vous regarde d'une façon stoïque…

Jean-Christophe touche les signes avec sa main.

— Il y a un grand secret caché à l'intérieur du labyrinthe, révèlent ces écritures…

— Si je comprends bien, en conclut Marjorie, nous pouvons visiter le labyrinthe tout de suite ou aller parler au visage de pierre qui nous révélera le trajet du labyrinthe…

Si tu es tenté de traverser le portail pour visiter le labyrinthe tout de suite, rends-toi au chapitre 52.

Si tu préfères mettre toutes les chances de ton côté lorsque tu attaqueras le labyrinthe, marche jusqu'au grand visage de pierre au chapitre 65.

118

Dans le centre du parc, une tornade de fantômes s'élève juste au-dessus d'un grand monument en pyramide pourvu d'un pentacle. Tu te rappelles soudain cette drôle d'église, dans le village des sorciers, dont le toit perçait la voûte de la grotte. Ce monument au centre du parc est en fait le clocher de cette église…

Des ombres bleues vous survolent ! Les policiers font feu de leur pistolet, mais les balles poursuivent leur trajectoire dans le ciel sans même chatouiller les fantômes, bien entendu.

Tu t'éclipses pour sauter dans une autopatrouille garée, tous gyrophares allumés. Le volant entre les mains, tu appuies sur l'accélérateur et tu fonces vers le clocher. La poussière de tes pneus se mêle au corps transparent des fantômes qui te pourchassent. Ton pare-chocs heurte violemment la structure, qui s'écroule. Le nez de la voiture, qui s'est engouffré dans le trou, scelle le dernier passage entre Sombreville et la grotte.

Autour, les fantômes disparaissent graduellement. La malédiction des premiers sorciers est définitivement contenue grâce à toi…

FÉLICITATIONS !
Tu as réussi à terminer…
Le temple Kôchemort.

À UTILISER QU'EN CAS
DE DANGER GRAVE...

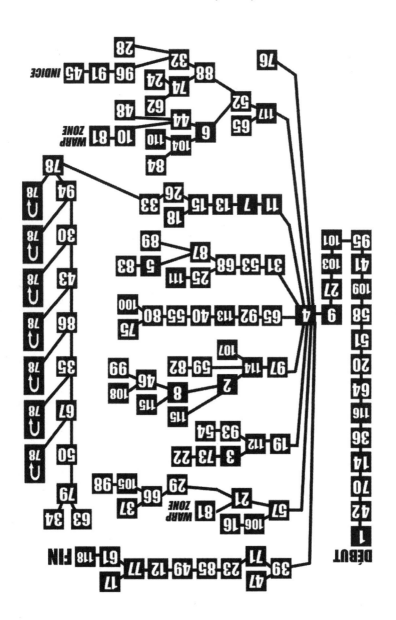

LE TEMPLE KÔCHEMORT

Depuis qu'un nouveau temple a été érigé au cœur de Sombreville, les gens ont très peur de s'endormir, car lorsque arrive le matin, ils se réveillent en ayant bien plus qu'un vague souvenir de leurs rêves. Certains sortent du lit avec des marques de griffes et des traces de morsures partout sur le corps...

UN LIVRE PALPITANT QUI SE JOUE À LA FAÇON D'UN JEU VIDÉO...

Oui, ce livre n'est pas qu'un simple livre... C'EST TON AVENTURE ! Et dans ton aventure, c'est toi qui décides du déroulement de l'histoire. ATTENTION ! Ce livre contient aussi un jeu original qui pourrait transformer ton histoire en vrai cauchemar... LE JEU DES PAGES DU DESTIN !

Il y a dix-huit façons de finir cette aventure, mais seulement une fin te permet de vraiment terminer... *Le temple Kôchemort*.

LIRA BIEN QUI LIRA LE DERNIER...

www.boomerangjeunesse.com
info@boomerangjeunesse.com